LESK ČESKÉ GOTIKY
チェコ・ゴシックの輝き
ペストの闇から生まれた中世の光
石川達夫
ishikawa tatsuo
成文社

聖大ヤクプ教会（15 世紀、ブルノ）

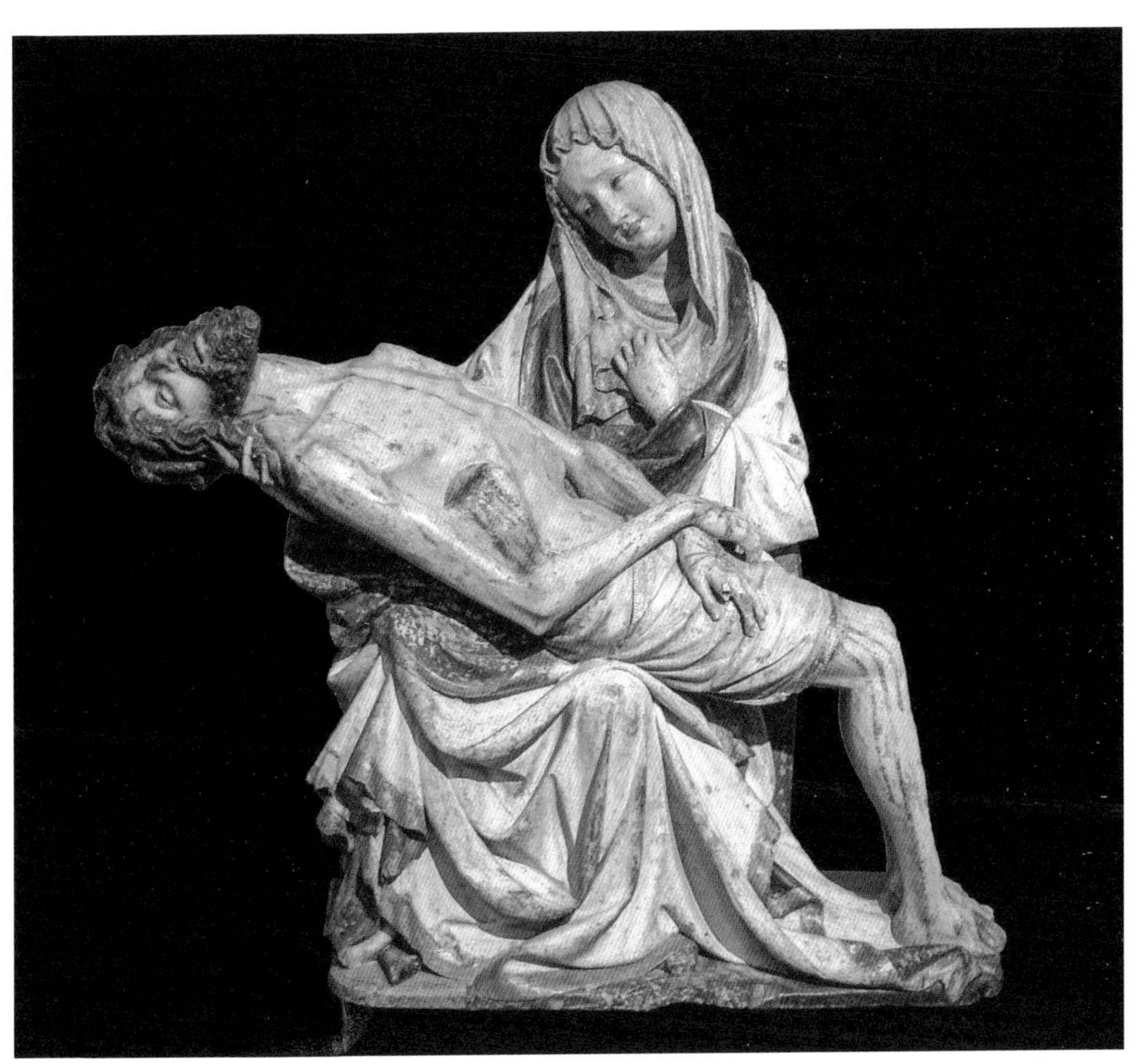

《クシヴァークのピエタ》(1390～1400 年頃?、オロモウツ、大司教区博物館所蔵〔制作はプラハと推定〕)

聖ヴィート大聖堂（14 世紀、プラハ）

チェコ・ゴシックの輝き――ペストの闇から生まれた中世の光――目次

## 終章　光を求める闇

# チェコ・ゴシックの輝き

——ペストの闇から生まれた中世の光——

［　］は、著者による注や補足を示す。
人名は、原則としてチェコ語の名前を用いる。

# 序章　闇と光のせめぎ合い

## 一　ドルとピストル

ドルとピストルと言えば、今やアメリカの象徴と言えるだろうが、この二つの言葉がどこから来たか、ご存知だろうか？

ドイツとの国境に近いチェコの西部に、カルロヴィ・ヴァリ(Karlovy Vary)——ドイツ語名カールスバート(Karlsbad)——という町がある。ゲーテ、シラー、ベートーヴェン、ショパンなどの著名な文化人たちが訪れたことでも知られる、ヨーロッパ有数の風光明媚な温泉町だ。伝説によれば、チェコ王・神聖ローマ皇帝カレル四世（ドイツ語ではカール四世）（一三一六〜七八。チェコ王・神聖ローマ皇帝在位一三四六〜七八）[1]とそのお供が、狩りの際にこの地で偶然、温泉を見つけたために、「カレルの温泉」という意味のカルロヴィ・ヴァリという名前が付いたと言われる。

このカルロヴィ・ヴァリの近くに、やはり温泉の出るヤーヒモフ（Jáchymov）という小さな町がある。ドイツ語名は、聖ヨアキム[2]の名を冠したザンクト・ヨーアヒムスタール(Sankt Joachimsthal) である。「聖ヨアキムの谷」という意味のこの名前は、この地にあった同名の銀坑に由来する。

一六世紀初頭、この地に多くの鉱夫がやって来て、町が造られた。最盛期には鉱夫だけでも一万二千人もの住民がいて[3]、この町はチェコ王国でも有数の人口の多い町であったという。皇帝から銀貨鋳造の特許権を与えられて、この町に鋳造所が造られたが、そこでは従来とは違う大きな銀貨が鋳造された。その銀貨は、ドイツ語でヨーアヒムスターラー（Joachimsthaler ＝ヨアキムの谷の［銀貨］）、略してターラー（Thaler）と呼ばれて広まった。この Thaler が daler となり、英語の dollar となったのである。つまり、ドルの語源は、中世チェコの銀貨のドイツ語名なのである。

チェコには、かつてやはり銀山と鋳造所を擁していて、首都プラハに次ぐ第二の都市であったクトナー・ホラ（Kutná Hora）——ドイツ語名クッテンベルク（Kuttenberg）[4]——という、ヤーヒモフよりも古くて有名な町もある。銀鉱に富み多くの銀が採れたことがチェコを豊かにし、チェコの経済的な発展の基盤ともなったのである。

だが、ドルの語源となったヨーアヒムスターラーという銀貨の名前は、ドイツ語であってチェコ語ではない。これは一体どういうことであろうか？　このことは、チェコにはかつてチェコ人だけでなくドイツ人もたくさん住んでいて、チェコではチェコ語・チェコ文化圏とドイツ語・ドイツ文化圏が重なっていたことを示している。チェコ語のプラハ（Praha）にはドイツ語のプラーク（Prag）が、チェコ語のヴルタヴァ（Vltava）（川）にはドイツ語のモルダウ（Moldau）が対応しているように、チェコの町・村・山・川などの地名には、チェコ語とドイツ語の両方があるのである。中世のチェコでは、チェコ人とドイツ人の混在・共存は常態であった。

一方、ピストルの語源はチェコ語である。中世チェコの宗教改革の先駆者ヤン・フス（一三七〇頃〜一四一五）に導かれた、（カトリック側から見た異端の）フス派は、カトリック勢力と軍事的に衝突するようになったが、フス派の軍隊は強く、自分たちの（チェコ語の）軍歌を歌いながらカトリックの軍隊を次々と撃破した。カトリック派の神聖ローマ皇帝とローマ教皇によって「異端」のフス派に十字軍が差し向けられ、それは五回にも及んだが、数から言えば遥かに優勢な十字軍の兵士たちは、ついにはフス派の兵士たちの歌う勇壮な軍歌を聞いただけで、怖れをなして逃げ出すようになったという。フス派の軍隊がそれほど強かった理由としては、その軍歌にもあるように彼らが「神の戦士」という自負に燃えていたことだけでなく、トロツノフのヤン・ジシュカ（一三六〇頃〜一四二四）などの優れた将軍に指揮されたこと、新しい戦闘方法や武器を発明したことがある。その武器の一つピーシュチュラ（píšťala）は、砲撃の際にピーという恐ろしげな轟音を発したために、チェコ語で「ピーと鳴る」という意味のピースカト（pískat）からこの名が付いたと言われる。このピーシュチュラという武器の名前がヨーロッパに広がり、それがピストル（pistol）の語源となったのである。

チェコのフス派は、既にゴシック時代の一五世紀前半に、ラテン語ではなくチェコ語で自分たちの聖歌や軍歌を作って歌っていた。ルター派がドイツ語で聖歌を歌うようになるより、百年も前のことだ。ちなみに、連作交響詩『我が祖国』（一八七四〜七九年）の第二曲「ヴルタヴァ」（モルダウ）で知られるチェコの作曲家ベドジフ・スメタナ（一八二四〜八四）は、その第五曲「ターボル」において、フス派の急進派であるターボル派が作った軍歌「神の戦士である者たち（Ktož jsú boží bojovníci）」を引用している。

ドルとピストルという、中世チェコのドイツ語とチェコ語に由来する言葉が世界中に広まったことは、この時代のチェコの力を物語るものと言えよう。ドルが財力の象徴であるとすれば、ピストルは武力の象徴である。この二つの力は国家を繁栄させ強力にするが、しかしまた、ドルは人間を堕落させ、ピストルは社会を荒廃させもする。チェコのゴシック時代は、恐らくチェコ史上最も強くなった財力と武力に基づく、繁栄と衰退の歴史でもある。

## 二　カレル四世とヤン・フス

チェコがゴシック時代にそれほど繁栄したのは、チェコ王と神聖ローマ皇帝を兼ねたカレル四世の統治下で、プラハが神聖ローマ帝国の首都になり、チェコ王国が神聖ローマ帝国の中心地になって、国際的な人と物と文化の交流が盛んになったためである。活発な国際交流がチェコのゴシック文化を高めたのだと言っても、過言ではない。ヨーロッパの地図で現在のチェコ共和国を見ると、ヨーロッパの中央に位置する小国だが、その小国チェコがEUの一部としてその広大な領域と見えない網目で結ばれているように、ゴシック時代のチェコ王国は神聖ローマ帝国の一部、しかもその中心地として、その広大な領域と見えない網目で結ばれていたのである。

カレル四世は、父方ではフランス文化圏とドイツ文化圏にまたがるルクセンブルク家の出身であり、母方では由緒あるチェコの民族王朝であるプシェミスル家に繋がり、幼少期をフランスの宮廷で過ごして優れた教育を受け、フランス語、ラテン語、チェコ語、ドイツ語、イタリア語を操った。

ヨーロッパ史上、カレル四世は特に、選帝侯たちによる神聖ローマ皇帝選挙の手続きなどを定めた一三五六年の「金印勅書」で知られるが、その最終章の第三一章では、選帝侯たちは自分の後継者に七歳から始めて一四歳までにスラヴ語（lingua Sclavica。チェコ語と考えられる）を習得させるように指示している。小言語のチェコ語は、現在でこそEUの公用語の一つとされているが、ゴシック時代にチェコ語が神聖ローマ帝国の公用語のような地位を与えられたことには驚かされる。もっとも、「金印勅書」では、神聖ローマ帝国には習慣や言語を異にする様々な人々が住んでいるので、統治者は自然に身につけるであろうドイツ語以外にイタリア語とスラヴ語（チェコ語）も習得すべきだとしているのであり、統治における実際的な必要性を考慮した指示だと考えられる。それでも、このような指示は、神聖ローマ皇帝カレル四世の力と、帝国内でのチェコ王国の地位の向上なしには、ありえなかったであろう。

この偉大なチェコ王・神聖ローマ皇帝の名前は、プラハのカレル橋、カレル広場、カレル大学、そして堅固な城塞で知られる城の町カルルシュテイン、前述のカルロヴィ・ヴァリなど、プラハとチェコの各地に残っている。

フランスで誕生したゴシック様式はヨーロッパ各地へと広まったが、幼少期をフランスの宮廷で過ごし、姻戚関係などを通じてフランスとの繋がりの強かったカレル四世が統治したプラハとチェコは、ゴシック文化の一つの拠点にもなった。チェコ・ゴシック建築の代表的な作品を造ったフランス出身のアラスのマティアーシュ（一二九〇?～一三五二）も、ドイツ出身のペトル・パルレーシュ（ドイツ語名ペーター・パルラー。一三三二?～九九）も、カレル四世がチェコに招いた建築家たちである。

チェコ・ゴシック時代の有名な人物と言えば、カレル四世と並んで、ルターより百年前に宗教改革の先駆的運動を主導した、前述のヤン・フスがいる。

カレル四世が外国のルクセンブルク家に繋がる最上層階級出身者であったのに対して、フスはチェコ農村の貧しい下層階級出身者であった。だが、フスはプラハ大学（カレル大学）で学び、プラハ大学教授から学長にまでなり、宗教改革的思想をチェコ語で唱えてチェコの人々に大きな影響を与えた。カレル四世の息子で、やはり神聖ローマ皇帝となったカトリック派のジギスムント（チェコ語名ジクムント）（一三六八～一四三七。神聖ローマ皇帝在位一四一〇～三七。チェコ王在位一四三六～三七）が召集したコンスタンツの公会議においてフスは異端を宣告され、騙し討ちのようにして火刑に処せられたが、それはチェコのフス派を激怒させた。フス派はカトリック勢力と激しく衝突し、ついには「フス戦争」と呼ばれる宗教戦争が始まったが、フス派が軍事的に勝利を重ねることで優位に立ち、チェコはフス派＝非カトリックの国になった。

フス派の思想にも、国際交流が大いに関わっている。フスに先行するイギリスの宗教改革の先駆者ジョン・ウィクリフ（一三二〇?～八四）の思想はチェコでも知られていたが、カレル四世の娘のアンナ（英語名アン）（一三六六～九四）がイングランド王リチャード二世（在位一三七七～九九）に嫁いで両国の交流が盛んになると、ウィクリフの著作が直接チェコにもたらされて、フスなど改革派の人々に更に大きな影響を与えたのである。ヨーロッパ共通の文化言語としてのラテン語がまだ健在であり、ラテン語で著作が書かれ、大学でもラテン語で授業が行われていたゴシック時代には、このような国際交流は容易であった。

現在でも人口一千万人余りの小国であるチェコから、同じゴシック時代にカレル四世とヤン・フスという、世界史に名をとどめることになる人物が二人出ていることは、やはりチェコのゴシック時代が特別な時代であったことの証左と言えよう。

カレル四世の時代、チェコ王国は軍隊に蹂躙されることなく、いわば「カレルの平和」の中で文化も興隆したが、宗教改革の時代になると状況は一変して内戦が勃発し、外国から差し向けられた度重なる十字軍にも国土が蹂躙され、戦乱の時代が長く続いた。

チェコの宗教改革の時代、宗教思想は高まり、ターボル派の共産主義のような先進的な社会改革も行われたものの、チェコ文化は多くの面で衰退した。それはもちろん、何よりも戦争で文化財が破壊されたり文化活動が停滞したりしたせいであるが、プラハ大学からカトリックの外国人たちが去ったり、チェコの都市からカトリックのドイツ人が追い出されたり、チェコと外国との繋がりが絶たれたりして、国際交流が不活発化し国際性が低下したからでもある。

その後、チェコ国内の状況が沈静化し、人文主義の時代になると、フス派から分離した「チェコ兄弟教団」と呼ばれる、文化を重視したプロテスタントの一派は、教団の師弟を外国の大学に留学させるようになり、そこからドイツの大学に留学したヤン・アーモス・コメンスキー（ラテン語名コメニウス）（一五九二〜一六七〇）のような知の巨人も出現することになる。

チェコ・ゴシック文化は、文化にとっての国際交流の重要性をも改めて認識させる。

## 三　ゴシックの闇と光

元来、西洋諸語で「中間の時代」という意味を持つ中世は、かつてルネサンス時代の人文主義者たちによって、偉大な古典古代とその再生たるルネサンスの「中間の」暗黒時代として捉えられた。ゴシックという言葉も、西ローマ帝国を滅ぼしたゲルマンの一部族の名前であるゴートに由来し、ルネサンス時代の南方のイタリア人が、北方の様式をゴート族の「野蛮な」ものと見て、この言葉を蔑称として使い始めたと言われる。だが今日、ヨーロッパの中世を単なる暗黒時代と捉える者はいないだろうし、ゴシックという言葉を軽蔑的な意味で用いる者はいないだろう。

後の時代の人々から見て、ヨーロッパの中世には確かに闇の部分もあったし、ゴシック時代の制作物には確かにグロテスクなもの、均整を欠いたもの、過剰なものもあった。しかしながら、実はグロテスクなものとは、中世の人々にとって決して否定的なだけのものではなく、聖性と真実を開示するものでもあり、存在の深みを垣間見せるものでもあったのだ。中世キリスト教のグロテスクな磔刑像やピエタは、その典型と言えよう。そして中世には非常に高い文化的興隆があり、ゴシックの制作物には人の目を奪うような輝きがあった。キリスト教が生んだ最大かつ最高の制作物であるゴシックの大聖堂、特にその天に向かって聳える高い尖塔と、大聖堂内部の色とりどりのステンドグラスの輝きは、まさにゴシックの高さと輝きを象徴的かつ具体的に示すものと言えよう。

フランス時代のカレル四世も目を奪われたに違いないパリのノートル・ダム大聖堂を始めとして、ヨーロッパ各地の大きな都市の多くには、ゴシックの大聖堂がある。その巨大で複雑な建築そのものもさることながら、大聖堂と一体化した無数の彫刻、大円の薔薇窓を始めとして色とりどりに輝く数多(あまた)のステンドグラス、音響に優れた内部空間を満たす音楽の響きは、その広大な空間もろとも人を四方八方から包み込んで圧倒する。高度な建設機械もない時代に、中世の職人たちがひたすら石を削っては積み重ねる手仕事を延々と続けることによって造り出されたゴシックの大聖堂は、人間の手仕事が生み出した究極の創造物と言えよう。

阿部謹也は、中世におけるヨーロッパの成立について、次のような要を得た説明をしている。「十一世紀末から十三世紀にかけて、ヨーロッパは、社会・経済の面だけでなく、政治・思想・文化のすべての面において大きな変動期をむかえていました。ヨーロッパ全域に市場・都市が成立し、貨幣経済が全面的に展開するとともに、貨幣を媒介とした人と人との関係が徐々に形成されてゆきます。商業の復活を背景とした富の蓄積が際だった成果をみせ、各地に天を摩する大伽藍がその雄姿をみせるようになります。森林を切り開いて大開墾が進められ、いたるところに新しい村が生まれ、地平線には都市の輪郭がくっきりと浮かぶようになります。このころに東ヨーロッパにも都市が成立し、西欧の建築様式の普及とあいまって、ひとつの世界としてヨーロッパの景観が成立してゆくのです。いたるところで河川に橋がかけられたのもこのころでした。馬具の改良とあいまって車輌輸送が急速に発達したのです。ヨーロッパに住む人と人との関係は密接になっていきました。このころに、ヨーロッパの地理的、文化的景観がほぼできあがったということができるでしょう。［……］また、十三世紀末にはどんな片田舎の村にも教会がつくられ、キリスト教がヨーロッパの庶民生活の奥深くまでようやく入りはじめました」[5]。このように、中世は「ヨーロッパがヨーロッパになっていく過程として捉えることができる」[6]とすれば、中世のキリスト教的なヨーロッパは、キリスト教が生み出した無数の制作物と共に可視的、可聴的、可読的に具現化されていったのだと言えよう。

キリスト教世界を守護するという理念を持っていた巨大な神聖ローマ帝国には、共通のキリスト教文化が広がっていくと共に、地方的な変種も生まれていった。特にゴシック教会のヴォールトのデザインや聖母像などに見られる変種＝ヴァリアントの豊かさと個性も、ゴシック芸術の魅力の一つである。

チェコは既に十一世紀から神聖ローマ帝国の一部になっ

ていたし、特にチェコ王と神聖ローマ皇帝を兼ねたカレル四世とその息子ヴァーツラフ四世（一三六一～一四一九。チェコ王在位一三七八～一四一九。神聖ローマ皇帝在位一三七六～一四〇〇）の時代には、プラハは神聖ローマ帝国の首都になり、チェコ王国は神聖ローマ帝国の中心地になって、この二人の時代を中心とするチェコのゴシック時代には、プラハとチェコで数多くのキリスト教建築・彫刻・絵画などが造られ、ゴシック様式の世俗建築も造られた。それらの中には、まことに目を奪われるような高さと輝きに満ちたものがある。

　ゴシック時代は、大聖堂に象徴されるように、カトリック教会の権威と力が頂点に達した時代であるが、しかしまた、教会大分裂や宗教改革に示されるように、その権威と力が衰退していく時代でもある。ゴシック時代にはまた、王族や枢機卿・大司教たちの命をも奪ったペスト（疫病）[7]の流行もあり、人々の平均寿命は短く、死はまるで人々の身近に出没する不吉で恐ろしい具象的存在のようであった。そこから、骸骨の姿をした「死」や、その「死」によって人間が墓場へと連れて行かれる「死の舞踏」のような絵画や彫刻も制作され、[8]『ボヘミアの農夫』のように擬人化された「死」と人間が論争する特異な文学作品も書かれた。

図0–1 《死（死神）》(16世紀前半？、制作地不明、クトナー・ホラ、プラハの国立美術館所蔵)

　チェコでは、死を見つめることによって、奇しくも十五世紀初頭の同時期に、『ボヘミアの農夫』というドイツ語文学の傑作と、チェコ・ゴシックの華とも言うべき「美麗様式」の《クシヴァークのピエタ》というチェコ彫刻の傑作も生まれた。そして、同じ「美麗様式」の《ロウドニツェの聖母》というチェコ絵画の傑作は、恐らくペストによる死の闇の中で救いを求める心から生まれたものである。
ゴシック後期にヨーロッパの宮廷を中心に広まった雅やかな「国際ゴシック様式」の一分枝として捉えられる、このチェコの「美麗様式」も、国際交流なしには生まれえなかったものである。中世美術史の碩学アンリ・フォシヨンは、次のように述べている。「プラハおよびボヘミア地方［チェコ］が、洗練された文化の魅力と輝きとによってまずこれらの［既に国際化していた］土地に君臨した。シエナやパリに教えられたことをこれほどよく理解し、とくにまたそれをこれほど独創的な仕方でここまで自分のものにしてしまった地方は、おそらくそれまでにはどこにもなかったであろう。［……］黒色と金色で描かれた魅力的な小さなパネル画［板絵］を見ただけでも、統一的な『国際様式』のなかに現われているこの文明の高雅な調子は十分うかがわれる。」[9]

## 四　ペストの闇と救済の光

イタリア・ルネサンス文学の代表的作品の一つである『デカメロン』（一三四八～五三年）の冒頭部分で、ボッカッチオ（一三一三～七五）は、フィレンツェを襲ったペストについて次のように書いている。

時は主の御生誕一三四八年のことでございました。イタリアのいかなる都市に比べてもこよなく高貴な都市国家フィレンツェにあのペストという黒死病が発生いたしました。［……］数年前、はるか遠く地中海の彼方のオリエントで発生し、数知れぬ人命を奪いました。ペストは一箇所にとどまらず次から次へと他の土地へ飛び火して、西の方へ向けて蔓延してまいりました。惨めなことでした。そのフィレンツェでは、人智を尽くして予防対策を講じましたが、空しうございました。［……］その年の春先から大災害は始まりました。それは信じがたいほどの凄まじさを私どもの目のあたりで見せつけたのでございます。［……］これから申すことは聞くだに空恐ろしいことで、こうした事は多数の人が目撃し、私自身がこの目で見たのでなかったら、とても信じられず、たとえ信用の置ける人から聞いたとしても、書く気にならなかったでしょう。[10]

知られているように、『デカメロン』は、フィレンツェの町で猖獗を極めるペストを逃れて郊外の館に避難した紳士淑女十人が、ほかに為すこともなく一人ずつ自分の物語を語るという設定になっている。その冒頭でボッカッチオは、ペストがもたらした恐ろしい惨状を、つぶさに描いているのである。そして、「ペストは今でこそ過去のものとなりましたが、しかしそれを目撃した人、見聞きした人には、痛切な思いを残しました。一人残らず心の傷を負いました」[11]と、その心的外傷、トラウマについても言及している。

一四世紀にパンデミックとなったペスト流行の波は、ボッカッチオが書いているように一三四八年（あるいは既に一三四七年）にヨーロッパに到達して、甚大な被害をもたらした。村上陽一郎の言い方を借りるなら、黒死病（ペスト）が「一三四八年を出発点として、その後半世紀にわたってヨーロッパ大陸を恐怖の底に叩き込んだ」[12]のである。ペトル・チョルネイは、一三四七〜五二年の最初のペスト流行の波によって西欧の人口は二五パーセント減少したが、第二次世界大戦における西欧の人口の喪失が約五パーセントであったことと比べると、それがいかに甚大な被害だったかが分かるとしている。そして、ペストにチフスなどその他の疫病なども加わり、一三四八〜一四五〇年の間にヨーロッパ全体の人口が二九〜四〇パーセントも減少したという。[13]繰り返し襲って来たペスト流行の波は、人口・経済・社会・精神など様々な面で、ヨーロッパに長く続く深い影響を与えた。

ペストによる被害は地域と時期によって異なり、レンカ・ボプコヴァーによれば、ヨーロッパにおけるペスト流行のうち、一三四七／四八〜五一年、一三五七〜六三年、一三六九〜七一年、一三九〇年、一四〇三〜〇六年、一四一四〜一五年の流行の際の被害は、チェコでは比較的小規模にとどまった。しかしながら、一三八〇年の流行はチェコで猖獗を極め、記録のあるボヘミア地方では人口の一〇〜一五パーセントが死亡した。もちろん、すべての社会階層の人々を死に至らしめたが、死に瀕した者に終油の秘跡（病者の塗油）を施すために病人と直接接する必要のあった聖職者の死亡率が特に高かったことが、史料から分かるという。[14]

第二代プラハ大司教にしてチェコ最初の枢機卿となったヴラシミのヤン・オチコ（?〜一三八〇。第二代プラハ大司教在位一三六四〜七八）も一三八〇年にペストに感染して死亡し、その甥である第三代プラハ大司教イェンシュテインのヤン（一三五〇?〜一四〇〇。プラハ大司教在位一三七九〜九六）もペストに感染して死に瀕した。だがイェンシュテインのヤンは、それによる大きな衝撃だけでなく、チェコの聖職者たちの最高統率者であるプラハ大司教として、多数の聖職者が次々と死んでいったことによっても衝撃を受け、心の傷を負ったに違いない。

村上陽一郎の言う、ヨーロッパが恐怖の底に叩き込まれた一三四八年からの半世紀というと、カレル四世とヴァーツラフ四世が神聖ローマ皇帝を務めた時代とほぼ重なる。教会大分裂と宗教改革の始まりだけでなく、ペストのパンデミック、人口の急減、多くの村の消滅、経済の低下など、実に多難な時代でもあったのだ。

カレル四世の姉にしてヴァーツラフ四世の叔母イトカ(フランス語名ボンヌ)(一三一五～四九)は、後のフランス王ジャン二世(一三一九～六四。仏王在位一三五〇～六四)に嫁ぎ、後のフランス王シャルル五世(一三三八～八〇。仏王在位一三六四～八〇)、ベリー公ジャン(一三四〇～一四一六)、ブルゴーニュ公フィリップ(一三四二～一四〇四)などを生んだが、一三四九年に三四歳にしてペストで死んだ。また、カレル四世の娘で、ヴァーツラフ四世の異母姉マルケータ(一三三五～四九)も、ハンガリー王ラヨシュ一世(在位一三四二～八二)に嫁いだが、同じ一三四九年に――恐らくはペストで――僅か一四歳にして死んだ。同じくカレル四世の娘で、ヴァーツラフ四世の異母妹アンナ(アン)も、イングランド王リチャード二世に嫁いだが、一三九四年に二八歳にしてペストで死んだ。カレル四世とヴァーツラフ四世の肉親たちも、ペストの犠牲になったわけである。

ところで、アンナの夫となったイングランド王リチャード二世は、内憂外患に苦しめられた挙げ句、廃位されて獄死するという悲劇的な人生を送った王だが、王妃となったアンナをこよなく愛し、一二年間の夫婦生活は幸福だったと言われる。恐らく、公的な生活が苦しかった分なおさら、その妻仲の良い妻との私的な生活が貴重だったのだろう。その妻のペストによる死は彼にとって大きな打撃で、彼は悲しみのあまり、妻の死に場となり、彼女との思い出の詰まったシーン離宮を――それを見るのが忍びないために――丸ごと取り壊させさえしたと言われる。[15]

王妃アンナの死から四年後の一三九八年から一四〇〇年までのリチャード二世の最晩年の二年間における零落・廃位・殺害を劇化した『リチャード二世』(一五九五年頃)において、シェイクスピア(一五六四～一六一六)は登場人物の一人に、「ああ、リチャード王、悲しみにみちた／この心の目に、あなたの栄光が流星のように／天空から卑しい地上へと落ちて行くのが見える。／あなたの太陽は西の空に泣きながら沈んで行くのだ[16]」と言わせている。

王妃アンナの死後、奇しくも『ボヘミアの農夫』や《クシヴァークのピエタ》と同時期に作られたと推定される《ウィルトンの二連祭壇画(ウィルトン・ディプティック)[17]》(一三九五～九九年頃)には、向かって右側にたくさんの天使たちに囲まれた聖母子と、左側に聖母子に向かって跪いて祈るリチャード二世が描かれている。この絵について浅野和生は、「妻を亡くしたことが、切ないほどに救いを求めるようなこの祭壇画を制作させた動機だったのかも」しれない、と推測している。[18] とすれば、イギリスにおける「国際ゴシック様式」を代表するこの《ウィルトンの二連祭壇画》もまた、チェコにおける「国際ゴシック様式」を代表する《ロウドニツェの聖母》（一三八五～九〇年）（この作品については第三章で詳述）と同じく、ペストによる死の闇の中で救いを求める心から生まれた聖母子像ではないか？《ウィルトンの二連祭壇画》の制作者は分かっていないが、チェコ美術の影響を受けた作品である可能性もある。アンナはイギリスに嫁ぐに当たって、チェコから絵画・彫刻・装飾写本などを持って行き、それがイギリス美術に影響を与えた可能性があるからである。[19] ちなみに、アンナは、まだ英語訳聖書がない時代に、チェコから持って来たラテン語・ドイツ語・チェコ語訳抄録福音書をイギリスで用いていて、それがウィクリフの英語訳聖書にも影響を与えたと言われる。ここにも、国際交流が大いに関わっているのである。

　若い娘に先立たれたカレル四世や、若い妻に先立たれたリチャード二世の心中は、いかなるものであっただろうか？　ペストがパンデミックとなって厖大な犠牲者が出た時代には、親子や配偶者や恋人や友など、愛する者や近しい者を突如として喪（うしな）った人は珍しくもなく、生き残ったほとんどすべての人がそうだったのではないだろうか？　しかしだからといって、その経験は軽くて辛くない日常茶飯事ではなく、その一つ一つが心の傷となったであろう。チェコには、子沢山の寡婦がペストで子を次々と喪っていくたびに教会で弔鐘を鳴らしてもらっていたが、最後に自分も斃（たお）れると、教会の鐘がひとりでに鳴りだして天使たち自らが歌うような美しい「（聖母）マリアの歌」を響かせたという伝説も伝わっている。[20] ペストの原因も分からず治療法もなかった時代、ペストの闇の中で人は神に祈って救済の光を願うほかなかったであろう。

　いつの時代でも、人は死や不幸と——たとえそれを乗り越えることができなくとも——どうにかして折り合いをつけようとせざるをえない。そして、その重要な試みが、ゴシック時代にはキリスト教と結びついた芸術であったのだ。誰一人として免れない死と不幸の不可避性と普遍性、そして、それと折り合いをつけようとする人間の試みと救済への希求——それがゴシック芸術の重要な部分を成していたのである。

# 第一章　チェコのゴシック教会堂とヴォールトのデザイン

## ——チェコにおけるゴシック建築の芽生えと開花——

## 一　チェコにおけるゴシック様式の広がりと多様性

知られているように、ゴシック様式は、フランスの首都パリを中心とするイル・ド・フランスと呼ばれる地域で誕生した。具体的には、サン・ドニ修道院付属教会堂の改築工事（一一四四年完成）の際に初めて用いられたとされる。[1]そしてこの様式はその後ヨーロッパ各地へと広がり、特にゴシック建築を代表する大聖堂に用いられた。だが酒井健が、「ゴシック様式の建築は、一五世紀までにヨーロッパ各地に伝播していき、その土地土地の様式と融合した。［……］北はスウェーデンのウプサラ大聖堂、東はプラハ大聖堂、ウィーン大聖堂、西はイギリスのエクセター大聖堂、南はイタリア半島のオルヴィエート大聖堂、［……］イベリア半島のスペイン南端セヴィリア大聖堂にまでゴシック様式は伝わった[2]」（傍点引用者）と書いているように、東欧への広がりに言及するのはプラハ（やウィーン）までで、それ以外の地域は一般にはあまり視野に入れられない。[3]

しかしながら、実際には、チェコの東側のモラヴィア地方にも、大聖堂を始めとして注目すべきゴシック様式の作例があるし、一般にチェコの広い地域にゴシック様式は広がっているのである。また、ゴシック時代にはチェコ王国の一部であった、現在のポーランドのシレジア地方（特にヴロツワフ）にも、注目すべきゴシックの遺産がある。

ゴシック建築、特に教会堂は、その壮麗さはもちろんのこと、その多様性も大きな魅力である。ジョン・ラスキンは、ゴシック的精神の本質の一つとして変化あるいは多様性を挙げ、ゴシック建築が「創出した一連の形態は、たんに新しいというだけでなく不断に斬新なものを生み出してゆく能力という長所をも備えていた」と述べている。「尖頭アーチは円アーチの大胆な変種というだけにとどまらず、それ自体が何百万もの変種を容認した。というのは、円形のアーチの比率がつねに同一なのに対して、尖頭アーチの比率は無限に変化できるからである。束ね柱は単一の柱身の大胆な変種にとどまらず、それはその束ね方と、束ねることで生ずる比率において何百万もの変種を許容した。トレイサリーの導入は明かり取り窓の処理法における驚くべき変化であるばかりか、トレイサリーの格子そのものの組み合わせにも際限のない変化を許容した。したがって、あらゆる生きたキリスト教建築には多様性への愛が存在するが、ゴシックの諸派はその愛を至高の活力をもって提示した[4]」。また、ルイ・グロデッキ（グロデツキ）も、ゴシックのレヨナン様式について、「形態の有限なレパートリーによって無限な異形を体系的に生み出した[5]」と述べているが、これはゴシック建築全体にも多かれ少なかれ言えることであろう。

一般にはあまり視野に入れられないチェコの多様性に富むゴシックの遺産に目を向けることは、それ自体興味深いことであるし、ゴシック一般に関する知識と視野を広げることにも繋がるだろう。

ところで、ゴシック建築の大きな特徴として「昇高性」あるいは「仰高性」が挙げられるが、その具体的な実現としては、教会の外観では建物の高さ、（しばしば双塔を成す）非常に高い尖塔などが挙げられ、内部では「昇高性をアピールする先のとがったアーチ、つまり尖頭アーチが天井に使用されていること」[6]などが挙げられる。

ゴシック様式の教会堂、特に大聖堂では、外から見た時には、その建物の巨大さ、そして特に屋根と塔の高さに圧倒されるが、内部に入ると、リブ（肋骨）や尖頭アーチを巧みに用いて天井などに描かれた美しい模様――それはしばしば、床から柱を垂直に伝って、天井の最も高い場所に位置する尖頭アーチの頂点にまで至る線を描く――に目を奪われ、惹きつけられる。つまり、リブや尖頭アーチは、建物構造的に天井を支えるという実際的機能だけでなく、建物の内部に大きくて美しい線条的な模様を描くという装飾的・美的機能を併せ持つのである。実際的機能をほとんど失って、もっぱら装飾的・美的機能を持つようになったものもあるし、後述のダイヤモンド形（地下室形）ヴォールトに至ってはリブそのものが消失してしまい、リブの担っていた機能がヴォールトに埋め込まれている。

オットー・フォン・ジムソンは、ゴシックの建築家たちが幾何学的原理を非常に重んじたことを指摘しているが[7]、彼らが教会堂の内部に作り出した抽象的で幾何学的な模様は、いわば天井という大きなカンバスに様々な線を描いて美しい模様を描き出し、美と個性を競うかのように、ヴァリエーションに富み、個性的で美しい。ウィルヘルム・ヴォリンガーは、ゴシックの線は「その本質から見て抽象的であり、同時に非常に強烈な生命力をもっている」とし、「線の無窮の旋律」について語っているが[8]、ゴシック教会堂内部の天井や柱の線が描き出すのは、まさに「線の無窮の旋律」だと言えよう。

ヴォールトのリブと、リブに繋がる柱が醸し出す線条性がゴシック建築の一つの特質であるとすれば、ゴシック建築におけるヴォールトのデザインは、ゴシックの特質を非常に良く、そして巧みに表したものと言えよう。ゴシック建築においてリブが非常に重要な空間的造形表現の手段となっていて、著しい美的機能を持つこと、しかもそれが個性的な表現手段ともなっていることは、様々なヴォールトのデザインを実際に目にすれば誰しも納得できるはずである。ゴシック建築においてこのようなリブとアーチと柱のデザインが作り出す空間構成の多様性の中に、個々の地方や建築物の個性が表れていると思われる。ヴァーツラフ・メンツルがチェコ・ゴシック建築について、まさにヴォールトこそが「造形芸術的な闘いの絶えざる対象であり、様式がいかに［……］進んだかの計測器にもなった」（傍点引用者）と述べているように、特にチェコ・ゴシック建築においてはヴォールトのデザインが特徴的な要素となっているのである。

本章では、そのようなリブ、尖頭アーチ、そして柱の線などが織りなす、主として教会堂内部のヴォールトのデザインについて、チェコ各地にどのようなものがあるかを見ていくことで、チェコ・ゴシックの広がりと多様性と個性を理解する一助としたい。

具体的な作例を見ていく前に、チェコ・ゴシック建築に用いられた主なヴォールトの種類（図1-1参照）について、簡単に整理しておくことにしよう。実際には一種類だけでなく、複数の種類のヴォールトを組み合わせている場合が少なくないが、主なものとしては、（1）交差リブ・ヴォールト、（2）放射状ヴォールト、（3）星形ヴォールト、（4）網状ヴォールト、（5）丸形（回転）ヴォールト、（6）ダイヤモンド形（地下室形）ヴォールトがある。交差リブ・ヴォールトは、二つの筒型ヴォールトを直角に交差させた時にできる稜線の部分に下からリブを当てた単純なものであり、特に初期ゴシックにおいて用いられた。放射状ヴォールトは、その名の通り、リブを一点から放射状に配置したものであり、特に教会堂奥の内陣に用いられた。リブを星形にした星形ヴォールト、リブで菱形の編み目を構成した網状ヴォールト、更にその二つを組み合わせた星形網状ヴォールトは、より複雑な模様になり、装飾的機能を強めている。丸形（回転）ヴォールトでは、リブが描く図形が角形ではなく丸形であり、図形を回転させたように丸みを帯びた図形を組み合わせたものになっている。ダイヤモンド形（地下室型）ヴォールトでは、他のヴォールトとは異なり、リブがなくなって天井だけがダイヤモンドの結晶の内側のような角の多い複雑な形を成し、装飾的機能が主となっている。

このほか、作例は多くないが、跨（また）がり（跳びはね）ヴォールト、交錯（切断）ヴォールトなどもある。跨がり（跳びはね）ヴォールトは、一つの柱の真正面に対になるもう一つの柱がないような不規則な形の場所に用いられたもので、三角形の三つの頂点から線を下ろして一点に集めた時のように、互いに斜めの位置にある柱と柱からリブを伸ばして、

図 1-1　主なヴォールトの種類

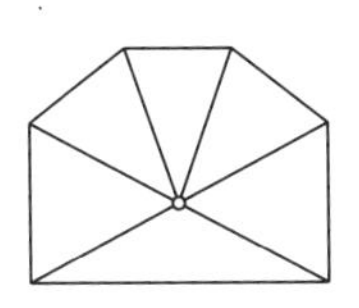

放射状ヴォールト

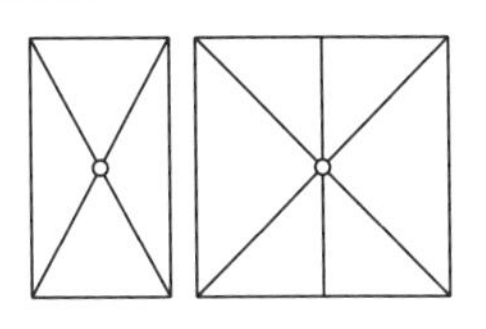

交差リブ・ヴォールト
（左：4ヴォールト、
右：6分ヴォールト）

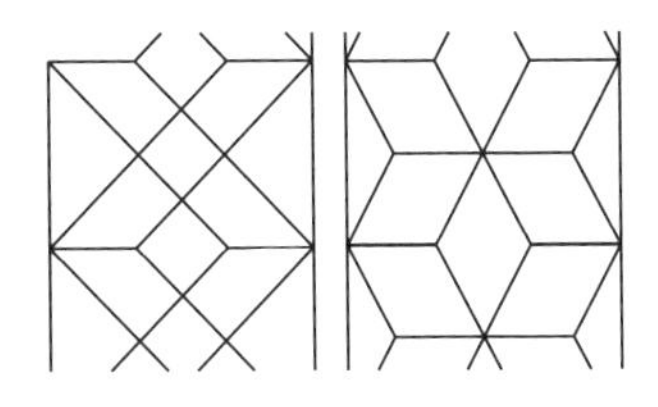

網状ヴォールト
（左：パルレーシュ・タイプ、
右：ミレフスコ［聖イリリー教会］（初期）タイプ）

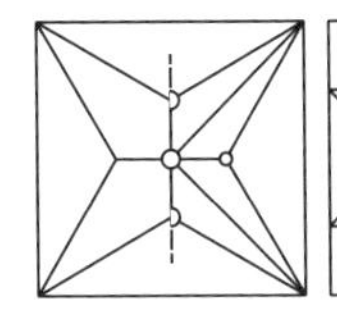

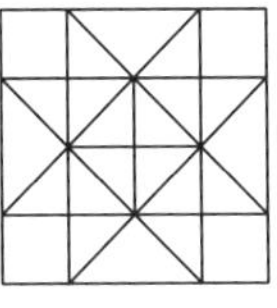

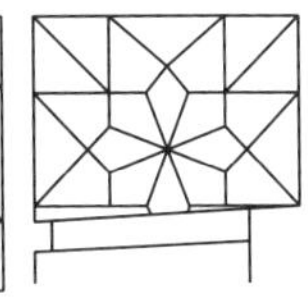

星形ヴォールトと、その組み合わせ

丸形（回転）ヴォールト

星形網状ヴォールト

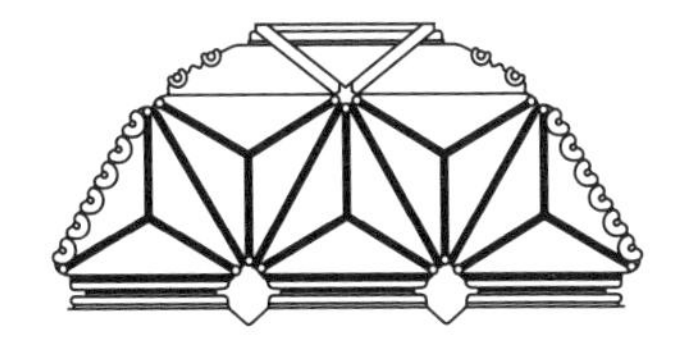

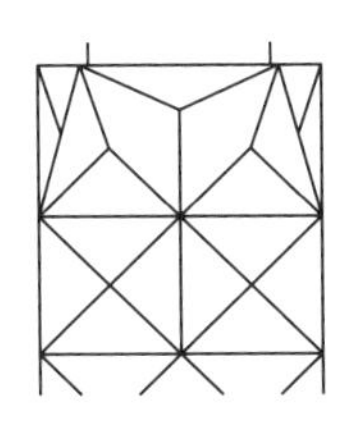

跨がり（跳びはね）ヴォールトと、その組み合わせ

交点を跨ぐように結んだものである。交錯（切断）ヴォールトは、リブが互いの中に食い込みながら複雑に交錯して断片化しているものである。

## 二　チェコの大都市の教会堂のヴォールト

　チェコでゴシック的要素を取り入れた最初期の建築としては、ドイツに近い西ボヘミア地方の町テプラーに一一九〇年代に創設されたプレモントレ修道会の修道院が挙げられるが、一三世紀に入ってもなお後期ロマネスク様式の建築が多かった中で、一二二〇～三〇年代からようやく本格的なゴシック様式の建築が現れ始める。この建築様式の変化をもたらす上で重要な役割を果たしたのが、国際的な紐帯を持ち、経済的な基盤も強かったベネディクト修道会、プレモントレ修道会、シトー会の修道院であった[10]。

　ゴシック様式の建築は、初めは首都プラハを中心とする西部のボヘミア地方よりも、むしろ東部のモラヴィア地方が先行したが、この様式はチェコ王ヴァーツラフ一世（一二〇五～五三。チェコ王在位一二三〇～五三）の関心を引いた。そして彼の援助のもとで、彼の妹であり、プシェミスル・オタカル一世（一一五五／六七～一二三〇。チェコ王在位一一九八～一二三〇）の娘であるアネシュカ（一二一一頃～八二）が、プラハ旧市街に一二三一年頃、ゴシック様式を取り入れたクララ会の修道院（聖アネシュカ修道院）を創設した。有力な王族の力添えで創設されたこの修道院は、フランス・ゴシック建築の影響を受けた、プラハにおける最初期の重要なゴシック建築となった[11]。こうして、フランスでゴシック様式が誕生してから約一世紀後の一三世紀中葉には、ゴシック様式がボヘミア地方に根づいて支配的になり、地域的な流派も生じ始めた[12]。

　この聖アネシュカ修道院の東側の翼の南側には、一二三〇年代以降に造られた初期ゴシック様式の聖フランチシェク教会があり、これはプラハに現存する最古のゴシック教会と考えられている。また、同じ翼の北側には、アネシュカが自分の甥であるプシェミスル・オタカル二世（一二三三？～七八。チェコ王在位一二五三～七八）と共に一二六〇年代に創設した、やはり初期ゴシック様式の至聖救世主教会（礼拝堂）（図1-2）がある。この二つの教会堂は非常によく似たヴォールトを持ち、手前には初期ゴシック様式の単純な交差リブ・ヴォールトがあり、奥には放射状ヴォールトがある。

　同様のヴォールトの組み合わせは、プラハと同じ中央ボヘミア地方の町で、重要な国王都市であったコリーンに、一三世紀中葉に初期ゴシック様式で造られた聖バルトロム

図1–2　聖アネシュカ修道院内至聖救世主教会（13世紀、プラハ）

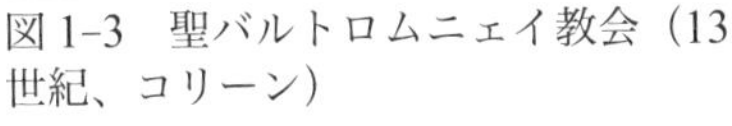

図1–3　聖バルトロムニェイ教会（13世紀、コリーン）

ニェイ（バルトロマイ）教会（図1－3）にも見られ、この教会堂の周歩廊には跨がりヴォールトも用いられている。

ヴォールトの模様はやがて複雑化し、また教会堂の奥の方の一部だけでなく、天井全体を覆うように広がっていく。特に大きな都市に造られた大聖堂などの大教会堂の内部は、華麗なステンドグラスなどと共に、美しい天井の模様が、堂内に入る者の目を引く。

チェコの大聖堂のうち最も大きいのは、首都プラハにある聖ヴィート大聖堂（図1－4）である。この巨大な大聖堂は、若き日をフランスで過ごしたカレル四世がフランス時代に知り合い、後にプラハに呼び寄せた建築家アラスのマティアーシュによって、一三四〇年代に建築が開始された。そして、マティアーシュの死後、この大聖堂の建築を引き継いだのが、ドイツ出身でチェコ・ゴシックを代表する建築家ペトル・パルレーシュである。パルレーシュは一四世紀のチェコ盛期ゴシック時代に、この大聖堂の網状ヴォールトを架けた。彼はここで新機軸を導入し、横断アーチをなくすことで、ベイ（ユニット）を持たず、空間限界を拭い去るように、対角

図 1-6　聖大ヤクプ教会（15 世紀、ブルノ）

図 1-4　聖ヴィート大聖堂（14 世紀、プラハ）

図 1-5　聖ヴィート大聖堂南側入口の間（14 世紀、プラハ）

図 1-8　聖モジツ教会（15 世紀、オロモウツ）

図 1-7　聖ペトルとパヴェル大聖堂（15 世紀、ブルノ）

線リブで次々と連結されて切れ目なく続いているように見える装飾的なヴォールトを生み出したと言われる。[13] パルレーシュは、南側の入口の間（図1－5）に跨がりヴォールトも使用した。

それから、チェコ第二の都市であり、チェコ東部のモラヴィア地方最大の都市であるブルノの聖大ヤクプ教会（図1－6）には、一五世紀後半の後期ゴシック時代に架けられた美しい網状ヴォールトがある。聖ヴィート大聖堂より後の時代に造られ、オーストリアと南ドイツの伝統に繋がる[14]この聖大ヤクプ教会の方が、柱に付けられた多くの線と天井の線との一体性が強調され、教会堂の内部全体で、流れるような躍動感に満ちた、より複雑な模様を描いている。

ブルノには、より格の高い聖ペトルとパヴェル大聖堂（図1－7）もあるが、天井の模様については、こちらは天井全体を覆うものではなく、奥の内陣部分が網状ヴォールトになっている。

同じモラヴィア地方の第二の都市オロモウツの聖モジツ教会（図1－8）のヴォールトは、ブルノの聖大ヤクプ教会のヴォールトと同様の網状ヴォールトだが、それよりやや小ぶりである。

図1-9　聖バルボラ教会（16世紀、クトナー・ホラ）

図1-10　聖バルトロムニェイ大聖堂（15世紀、プルゼニ）

序章で述べたように、かつて銀山で栄えた国王都市クトナー・ホラの聖バルボラ教会（図1－9）も大きな教会堂であり、この教会堂には、天井に花が開いたような丸形（回転）ヴォールトが架けられている。一六世紀にこのヴォールトを架けたのは、ドイツ出身の建築家ベネディクト・レイト（リート）（一四五四～一五三六）である。チェコ盛期ゴシックを代表する建築家パルレーシュに次いで、レイトはチェコ後期ゴシックを代表する建築家である。

中世においてはプラハとクトナー・ホラに次いでチェコ第三の都市であった西ボヘミア地方の町プルゼニ（ピルゼン）にも、ゴシック様式の聖バルトロムニェイ大聖堂（図1－10）がある。この大聖堂には、一五世紀にドイツ出身の建築家エアハルト・バウエルが架けたと考えられている、星形ヴォールトと結合した網状ヴォールトがある。

## 三　チェコの小都市や村の教会堂のヴォールト

司教座（カテドラ）の置かれた大聖堂（カテドラル）は、ゴシック建築の代表格であり、ヨーロッパ各地の大きな都市にあるが、第二節で見てきたように、チェコでも、プラハ、クトナー・ホラ、プルゼニ、ブルノ、オロモウツといった大きな都市にゴシックの大聖堂や大教会堂がある。しかしながらチェコの場合、ゴシックの教会堂は大きな都市だけでなく、地方の小さな町や村にもかなり広がっている。特に、オーストリアに近い南ボヘミア地方がそうである。

南ボヘミア地方では後期ゴシック時代に建築活動が活発化したが、そのきっかけとなったのは、チェコ王のプラハからの転居であった。

チェコでは、カトリック教会と対立したフス派の王ポヂェブラディのイジー（一四二〇～七一。チェコ王在位一四五八～七一）の死後、母方からチェコ王・神聖ローマ皇帝ジギスムント（カレル四世の息子）の血を引くポーランドのヤギェウォ家出身のヴラヂスラフ（ヴワディスワフ）二世（在位一四七一～一五一六）が、チェコ王に即位した。ヴラヂスラフ王は、フス戦争時代に荒廃したプラハ城の再建にも着手し、後期ゴシック建築の代表的な作品の一つであり、彼の名を冠した後述のヴラヂスラフ・ホールをもプラハ城内に造らせた。しかし彼は一四九〇年、ハンガリー王マーチャーシュ（在位一四五八～九〇）の死後にハンガリー王にも即位し、同年ハンガリーのブダに転居してプラハには戻らず、プラハの建築活動が不活発化した。そのためプラハの建築家たちはプラハを離れ、その一部が南ボヘミア地方のロジュムベルク家の領地に移り、同家に保護されて建築活動を行うようになり、フス戦争後の経済的活況とも相俟って多くのゴシック建築が南ボヘミア地方に造られたのである。[15] ロジュムベルク家は、南ボヘミア地方に広大な領地を所有し、プラハ城に次ぐ大きさのチェスキー・クルムロフ城の主としても知られた、チェコの大貴族である。南ボヘミア地方におけるゴシックの遺産の豊かさは、ロジュムベルク家の権勢と財力を物語るものとも言える。

南ボヘミア地方で活動した代表的な石匠（建築家）たちには、ホジツェの内陣のマイスター、ハンス・ゲッツィンガー（?～一五二六後）、ミハル・ルビク（?～一五一七頃）、トルホヴェー・スヴィヌィのマイスター・ヤンなどがいた。[16] 中でも重要なゲッツィンガーは、チェコに近いオーストリアのハスラフ・アン・デア・ミュール（Haslach an der Mühl）出身だが、この町は一三四一年以来ロジュムベルク家に属しており、ゲッツィンガーもロジュムベルク家の臣民で、ロジュムベルク家のペトル四世（一四六二～一五二三）によって一四九七年に石匠組合（ギルド）の工匠長に任命され、南ボヘミア地方で活動することになった。[17]

ところで、既にその壮大さによって外観からして人を圧倒する大都市の大教会堂とは異なり、地方の小都市や村の小さな教会堂は、外観はこぢんまりして、それほど人目を引くものではないものの、内部、とりわけヴォールトにはその美しさと個性で人を惹きつけるものが少なくない。

この点で参考になる研究書が、ロマン・ラヴィチカ『ロジュムベルク家の領地における後期ゴシックの教会堂』（二〇一三年）[18]である。これは、ロジュムベルク家の領地にある数多くの教会堂などを詳しく調査して、豊富な図版と共に記述した貴重な本である。この本のリストによれば、一五世紀後半から一六世紀前半の約百年の間に南ボヘミア地方に造られたゴシックの宗教施設（教会堂や修道院）は、五九町村の六五施設にも及び、まずその数の多さに驚かされる（巻末の付表四参照）。更に、数が多いだけでなく、規模は小さな教会堂でも、とりわけ内部は美しく個性的で、注目すべきものが少なくない。

次に、ラヴィチカの本に出ている教会堂も含めて、地方の教会堂のうちヴォールトのデザインで特に注目すべきものを見ていき、それによって、チェコの大都市だけではなく地方の小さな町や村にもゴシック様式が広がって、注目すべき諸作品が生まれたことを示したい。

ロジュムベルク家が南ボヘミア地方の町トシェボニに建てた一族の修道院に付属する聖イリーと聖母マリア教会（ヴォールト一三八〇年頃）（図1－11）は、トシェボニの祭壇のマイスターによる祭壇画、《トシェボニの聖母》の彫刻などと共に、絵画・彫刻・建築などの統一的な全体においてチェコにおける「美麗様式」を代表する教会堂の一つである。[19]この教会堂では、トシェボニの祭壇のマイスター、ジェブラークの聖母のマイスターなど、当時の「美麗様式」を代表する第一線の芸術家たちが設備や装飾を手がけたのである。[20]「美麗様式」の美術作品については第三章で詳述するが、チェコで「美麗様式」は、絵画・彫刻・建築のジャンルを超えて広域的な広がりと意味を持っていた。

ヴァーツラフ・メンツルは、トシェボニの聖イリーと聖母マリア教会の特徴として、プロポーションの垂直的な上昇性、ヴォールトに繋がる柱の細やかさ、視覚的な爽やかさ、見通しの利く空間の明るさ、シルエットの絵画性などを挙げ、そのような特徴を持った建築が、その後、ロジュムベルク家が支配する南ボヘミア地方に広がったとしている。そしてそのような、ステンドグラスを用いずに、より

図 1-12　聖母マリア教会（15 世紀、カーヨフ）

図 1-11　聖イリーと聖母マリア教会（14 世紀、トシェボニ）

多くの外光を取り入れて光に満ちた「美麗様式」の教会堂が、ローマ教皇ピウス二世となるイタリアの人文主義者アエネアス・シルウィウス・ピッコローミニ（一四〇五～六四）に『チェコの歴史（Historia Bohemica）』（一四五八年）において、次のように書かせたのだという。「確かに、全ヨーロッパにおいて、我々の時代のどの王国も、チェコ王国ほど美しくて整った教会堂で濃密に飾られてはいない[21]」。南方の人文主義者にとって、明るく綺麗で軽やかな「美麗様式」の教会堂は、北方の重々しいゴシック教会堂よりも身近に感じられたのではなかろうか？ミレナ・バルトロヴァーの言う、「ほっそりした柱と繊細なヴォールト体系を備えた、同質的な内部空間の非物質化への傾向[22]」は、第三章で論じるトシェボニの祭壇のマイスターが描いた、この教会の祭壇画の聖人・聖女たちの繊細な輪郭、半ば非物質化し霊化して宙に浮きかけているような軽やかさとも照応する。

同じく南ボヘミア地方の村カーヨフの聖母マリア教会（ヴォールト一四八五年完成）（図1-12）は、星形ヴォールトを持ち、しかも星形がそれぞれ異なり、非対称の美学を持つ点で興味深い[23]。

やはり南ボヘミア地方の村フヴァルシヌィの聖マグダラのマリア教会（ヴォールト一五〇七〜一四年）と、その近くにあり、現在はオーストリアに属する国境沿いの小さな町ハスラフの聖ミクラーシュ教会（ヴォールト一四九五〜一五〇五年）には、共にハンス・ゲッツィンガーが架けた、後期ゴシック様式の丸形（回転）ヴォールトがある。また、フヴァルシヌィ近くの町プラハチツェの聖ヤクプ教会（図1-13）には、一四九〇〜一五〇〇年の間にドルニー・ドヴォジシチェの三廊のマイスターが架けられたと考えられている、後期ゴシック様式の興味深い星形ヴォールトがある。

図1-13　聖ヤクプ教会（16世紀、プラハチツェ）

やはり南ボヘミア地方の町ベヒニェの聖母マリア被昇天教会には、リブを使わないダイヤモンド形（地下室形）ヴォールト（一五〇〇年以前）があるが、この教会堂は、フス戦争以前の南ボヘミア地方の二廊式教会建築の伝統にこのタイプのヴォールトを結びつけたものと言われる。[24] ま

図1-14　聖ペトルとパヴェル教会（15世紀、ソビェスラフ）

た、この教会堂の影響を受けたソビェスラフの聖ペトルとパヴェル教会[25]（図1－14）にも、このタイプのヴォールト

図1-15　聖母マリア被昇天教会（16世紀、モスト）

（一四九九～一五〇一年）がある。ダイヤモンド形ヴォールトは、南ボヘミア地方から南西ボヘミア地方に広まり、また東ボヘミア地方の（ロジュムベルク家と並ぶ大貴族）ペルンシュテイン家の領地における建築を通じて南モラヴィア地方にも広まった。[26]

他方、南ボヘミア地方とは反対側の、ドイツに近い北ボヘミア地方西部の町モストの聖母マリア被昇天教会（現在は博物館）（図1－15）には、ドイツのシュヴァインフルト出身で、ベネディクト・レイトの直接の弟子であるヤクプ・ハイルマン（一四七五頃～一五二六）が一六世紀前半に造った、興味深いヴォールトがある。この教会堂では、身廊は丸形（回転）ヴォールト、側廊は星形ヴォールトになっている。[27]

## 四　チェコの世俗建築のヴォールト

以上見て来たように、チェコではゴシック様式の興味深いヴォールトが大都市から地方の小都市や村にまで広がっているが、その多くは教会堂や修道院といった宗教施設である。しかしながら、宗教施設以外にも、ゴシック様式の興味深いヴォールトが見られる。その代表的なものが、プラハ城内の有名なヴラヂスラフ・ホール（図1－16）であ

図1-16　プラハ城内ヴラヂスラフ・ホール（15世紀、プラハ）

図1-17　プラハ城内の旧議事堂

る。縦六二メートル、横一六メートル、高さ一三メートルのこの巨大なホールは、間に柱のない石造ホールとしてはヨーロッパ最大のホールである。このホールのヴォールトは、前述のヴラヂスラフ二世の時代の一五世紀にレイトが架けた、後期ゴシック様式の丸形（回転）ヴォールトである。美しい弧が幾重にも重なる洗練された模様は、広大なホールの天井全体に幾つもの大輪の花が咲いたように見える。また、このホールの脇の旧議事堂（図1‐17）のヴォールトや、同じくプラハ城内にある「騎士の階段」にも、同じくレイトが造った興味深いヴォールトが見られる。後者は珍しい交錯（切断）ヴォールトで、リブが互いの中に食い込んで交錯し、複雑に組み合わせたリボンか水引のように見える。[28]

北ボヘミア地方のホムトフ、中央ボヘミア地方のカルルシュテイン、南ボヘミア地方のブラトナー、南モラヴィア地方のスラヴォニツェなどには、ダイヤモンド形ヴォールトを持つ城や市民の家などが少なくない。[29]

## 五　ゴシックの共通性・国際性と個性・独自性

本章で見てきたように、フランスで生まれたゴシック様式は、チェコに伝わって各地に注目すべき多くの作品を生み出した。そしてヴォールトのデザインに着目すると、前述のように、それぞれの制作者たちが天井という大きなカンバスに様々な線を描いて、ヴァリエーションと個性に富むデザインを生み出していたことが分かる。あたかも、聖アネシュカ修道院内至聖救世主教会に例示される、開いたばかりの蕾のような、最初期の単純なリブ・ヴォールト（図1－2）が、次第に様々な形と色へと大きく花開いていくかのようではないか？　そして、複雑な網状ヴォールトのような凝ったデザインは、あたかも建物に施した刺繍模様のようではないか？　そのようにして、装飾性に富む、より複雑なヴォールトのデザインが発展し、チェコの教会堂や城などを美しく個性的に飾ることになったのである。

そして、その過程で一つの転機となったのは、第三章で詳述する「美麗様式」であったと考えられる。一四〇〇年前後数十年のヴァーツラフ四世時代の「美麗様式」の建築において生じた変化について、ヴァーツラフ・メンツルは、視覚的で感覚的な美が主導的な役割を果たすようになり、それまでゴシック建築の発展が依拠していたヴォールトと空間との密接な関係が絶たれて、ヴォールトが美的に自己目的的なものとなる、と説明している。[30] メンツルの言う「視覚的で感覚的な美」の主導的な役割は、建築に限らず、あらゆるジャンルの芸術において「美麗様式」の主要な特徴になった。

ところで、当時の国家は現在のそれとは異なるものであり、ドイツとチェコは同じ神聖ローマ帝国に属していたし、当時の建築家・芸術家・職人たちは、現在では国を異にしている諸地方を渡り歩いて仕事をしていた。チェコの王や貴族たちも、ドイツから優れた職人や芸術家たちを積極的に呼び招いたし、チェコ・ゴシックを代表する建築家ペトル・パルレーシュやベネディクト・レイトも、現在のドイツに属する地方の出身であった。ペトル・パルレーシュの息子ヴァーツラフ・パルレーシュ（ドイツ語名ヴェンツェル・パルラー）（一三六〇～一四〇四）は、一三九八年にプラハからウィーンに移ってシュテファン大聖堂の建築に従事したが、そのウィーンから後期パルレーシュ様式が、比較的ウィーンに近いモラヴィア地方に伝わったと言われる[31]。また、南ボヘミア地方で後期ゴシック建築に携わった建築家たちは、主として、現在のチェコとオーストリア両方の国境に近いドイツの町パッサウで修業した者たちだったという[32]。タチャーナ・ベネショフスカーによれば、南ボヘミア地方のロジュムベルク家の領地における後期ゴシック建築は、「それが今日のチェコ・オーストリア国境とチェコ・ドイツ国境の両方の側にまたがる広い領域全体の建築の自然な一部だとしても、この地の創造の独自性を示している[33]」。

このように、中世フランスで生まれたゴシック様式は、チェコも含めたヨーロッパ各地に広まり、その土地の伝統的様式と融合したり、その土地の個性を帯びたりして、共通性・国際性を持つと同時に、その土地土地の個性・独自性をも帯びることになった。チェコのヴォールトのデザインを具体的に見ていくことによって、ある程度そのことが視覚的に理解されたであろう。

# 第二章　カレル四世とチェコ・ゴシックの遺産

## 一　カレル四世の人物像

第一章で見たように、チェコでは一二二〇～三〇年代から本格的なゴシック様式の建築が現れ始めたが、何と言っても、チェコにゴシック様式を広める上で大きな役割を果たしたのは、チェコ王と神聖ローマ皇帝を兼ねて、チェコとプラハを大いに発展させたカレル四世である。

それには、次のような理由が挙げられるだろう。即ち、カレルが幼少期をフランスの宮廷で過ごし、ゴシック様式の誕生地であり本場であるフランスでゴシックの建築や美術に身近に親しんでいたこと、カレルがチェコ王のみならず神聖ローマ皇帝も兼ねて絶大な権力と財力を有していたこと、フランスで高度な教養を身につけたカレルが芸術にも造詣が深くて芸術家たちのパトロンにもなったこと、自らの権力に威信を加えるために芸術を積極的に利用したこと、信仰心の篤かったカレルが教会堂の建設や宗教美術の創造に積極的に関与して寄進も行ったこと、プラハを神聖ローマ帝国の首都として大いに発展させようとしたこと、などである。神聖ローマ帝国の皇帝であり、またフランスとも縁の深かったカレルは、ヨーロッパ各地に赴き、ヨーロッパ各地の人的、物的、文化的な交流をも促した。こうしてカレルの時代に、チェコで様々な要素を含んだ様式――「皇帝様式」とも呼ばれる――が生まれ、それは各国・各地の交流を通じて、宮廷を中心に広まった「国際ゴシック様式」（「国際様式」「国際ゴシック」）へと発展する。この「国際ゴシック様式」は、チェコでは特に「美麗様式」と呼ばれる、注目すべき様式になった。

本章では、そのような、チェコでゴシック様式が非常に広まり発展したカレル四世時代のチェコ・ゴシックの遺産を見ていくことにする（「美麗様式」については次章で詳述する）。

カレル四世と言えば、日本では、一三五六年に「金印勅書」を発布した皇帝として、ドイツ語のカール四世の名で良く知られているだろう。また、神聖ローマ帝国の首都としてのプラハを大いに高めたということでも知られているかもしれない。しかしながら、それ以外には、カレル四世がどのような人物で何を為したかについて、一般にはあまり知られていないのではなかろうか？　そこでまず、カレル四世がどのような人物であったのかを見ていくことにしよう。

カレルは、チェコ大公国・王国を築いたチェコの由緒ある大公家・王家であるプシェミスル家出身のエリシュカを母とし、ルクセンブルク家出身でチェコ王となったヨハン

（チェコ語ではヤン）を父として、一三一六年五月一四日にプラハで生まれた。生家は恐らく、当時プラハの旧市街広場に面して建っていた宮殿だったと考えられ、その建物の一部が現在もゴシック様式の「石の鐘の下の家」として残っている。なお、カレルの初めの名は、ヴァーツラフであった。

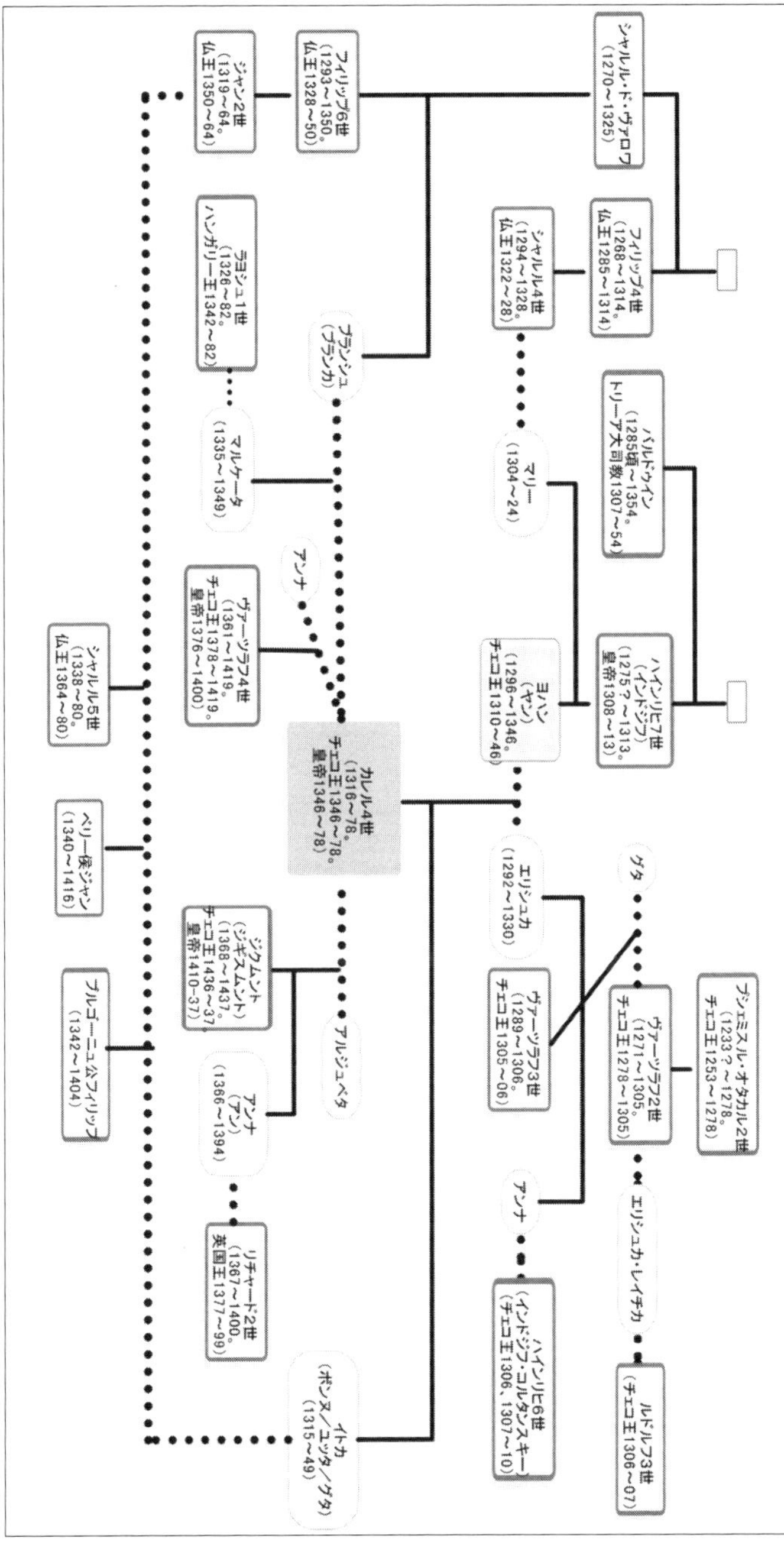

図2-1　カレル４世の親戚関係略図

チェコの民族王朝であるプシェミスル家ではなく、外国のルクセンブルク家出身のヨハンがチェコ王となったのは、プシェミスル家が一三〇六年に断絶してしまったからである。ダンテ（一二六五～一三二一）の『神曲』「煉獄編」第七歌にも「鉄と金の王」として登場するように権勢を誇ったプシェミスル・オタカル二世の孫であり、ヴァーツラフ二世の息子であるヴァーツラフ三世が、王位に即いて僅か一年後に一六歳の若さで暗殺され、プシェミスル家の（嫡流の）男系が断絶してしまったのである。[1] そのため、プシェミスル家の女性と姻戚関係にある外国出身者がチェコ王位に即いたが、四年の間に四回――ヴァーツラフ二世の死から数えれば五年の間に五回――も国王が交代するという、異常事態に至った。[2] 最終的に、ヴァーツラフ二世の娘であるプシェミスル家のエリシュカが、ルクセンブルク家初の神聖ローマ皇帝ハインリヒ七世の息子ヨハンと一三一〇年に結婚して、ヨハンがチェコ王に即位したのである。

エリシュカは、夫となったヨハンより四歳年上で、権高な女性であったという。夫婦生活はうまく行かず、ヨハンは、チェコよりも、宮殿を持っていたパリの方に多く滞在し、チェコの人々の人望を集めることができず、「よそ者王（外国人王 král cizinec）」という綽名をつけられた。[3] そしてヨハンは、チェコの貴族たちが幼い息子（ヴァーツラフ＝カレル）を国王に選んで、未成年であるが故に摂政として母のエリシュカに統治させるのではないかと心配した。フランスとドイツの間にあるルクセンブルクで生まれ、自らもフランスの宮廷で育って国際感覚に長けていたヨハンは、自分の妹のマリーが一三二二年にフランス王シャルル四世に嫁いだ一年後の一三二三年に、息子をフランスの宮廷にやって、そこで養育してもらうことにした。

マリーの夫で、カレルの義理の叔父に当たるフランス王シャルル四世は、まだヴァーツラフという名前だったカレルを可愛がり、カレルの堅信礼の際に代父となって、彼に自分の名前を与えた。この後、カレルは自分の名前として元のヴァーツラフではなくシャルル（チェコ語でカレル、ドイツ語でカール）を用いるようになった。

カレルがフランスに来てから僅か一年後の一三二四年に叔母のフランス王妃マリーが死に、シャルル四世も五年後の一三二八年に死んだにもかかわらず、カレルはそのままフランスの宮廷で養育された。なぜなら、カレルは既に七歳の時の一三二三年に、シャルル四世の叔父ヴァロワ伯シャルル・ド・ヴァロワの娘（シャルル四世の従妹）で、同じくフランスの宮廷で育てられていた同い年のブランシュ（チェコ語でブランカ）と婚約しており、更にブランシュの兄のフィリップが一三二八年にフランス王フィリップ六世となったからである。

　こうしてカレルは、母方からチェコの由緒ある民族王朝プシェミスル家の血を引き、父方では神聖ローマ皇帝ハインリヒ七世を祖父に持ち、更に妻との姻戚関係ではフランス王フィリップ六世を義兄に持つことになった。加えて、カレルの姉イトカ（フランス語名ボンヌ）は、フィリップ六世の長男ジャン――後のフランス王ジャン二世――と結婚し、後のフランス王シャルル五世、ベリー公ジャン、ブルゴーニュ公フィリップなどを生んだ（いずれもカレル四世の甥に当たる）。写本愛好家として知られるベリー公ジャンは、ゴシック美術の重要なジャンルである装飾写本の頂点とも言うべき『ベリー公のいとも豪華なる時禱書』などの注文主として美術史に名を残し、イトカ（ボンヌ）自身も装飾写本の注文主として知られている。

　フランスの宮廷で育てられたカレルは、当時のチェコでは得がたいような教養と国際感覚と政治センスを身につけた。フランスの宮殿、パリのノートル・ダム大聖堂、サント・シャペルなどの壮麗なゴシック様式の建築を目の当りにし、パリ大学の学者たちと交わり、ヨーロッパの先進国フランスの文化・芸術・学問に触れ、それを吸収した。

フランスでカレルの教師役を務めたのは、その優れた教養のためにフランス王フィリップ六世の宮廷に招かれて国王顧問の一人となったフランス貴族ピエール・ロジェ（一二九一～一三五二）であった。彼は後に教皇クレメンス六世（在位一三四二～五二）となる傑物で、カレルの神聖ローマ皇帝選出やプラハ大学の設立に際してもカレルを支援することになる。更に、若い頃のカレルにとって模範となったのは、カレルの祖父（神聖ローマ皇帝ハインリヒ七世）の弟――カレルの大叔父――で、ルクセンブルク家出身のトリーア大司教にして選帝侯バルドゥインであった。彼はパリ大学で学び、僅か二二歳でトリーア大司教に選ばれ、神聖ローマ帝国の最有力人物の一人となり、自分の兄ハインリヒ七世とカレル四世の皇帝選出に一役買った。バルドゥインは、芸術のパトロンでもあった。

　こうしてカレルは、幼少期から優れた教育を受け、高い文化・芸術・学問に親しみ、国際感覚を磨き、チェコ語のほか、フランス語、ラテン語、ドイツ語、イタリア語を習得し、ラテン語で自伝なども執筆するようになった。

　カレルは一四歳の時の一三三〇年にフランスを離れ、ルクセンブルクを通って、父のヨハンに統治を任された北イタリアの領地に赴いた。イタリアでは、自分の名前を冠した「モンテカルロ」（カレルの山）というコムーネを作り、イタリアの新しい芸術潮流にも触れた。

　一三三三年、カレルが一七歳の時に、チェコの主だった貴族たちの使節がイタリアにやって来て、チェコ王位継承者だったカレルに対して、長い間国王（ヨハン）が留守にしているチェコに戻ってくれるように依頼し、カレルはそれを聞き入れてチェコに戻った。フランス人の妻ブランカも、一年遅れて一三三四年にチェコにやって来た。

同じ一三三四年に、父のヨハンはカレルを、チェコ王国の東側のモラヴィア地方（モラヴィア辺境伯領）を統治するモラヴィア辺境伯にした。更に、一三四〇年に戦争で失明したヨハンは、一三四一年の王国議会においてカレルに「rex iunior（若王）」の称号を与えた。カレルはモラヴィア辺境伯になった頃から、既に実質的にチェコ王として統治を始めた。

その後、カレルはローマ［ドイツ］王、チェコ王、ロンバルディア王（イタリア王）、神聖ローマ皇帝、アルル王に即位し、当時のヨーロッパで最も有力な君主の一人となった（カレルの具体的な戴冠式については、巻末の付表一を参照）。

## 二　カレル四世の信仰と聖遺物崇敬

カレルは信心深いキリスト教徒であり、教会や聖職者をも積極的に援助した。中世人の心性を持つカレルは、いわゆる「メメント・モリ（memento mori 死を想え）」を心に刻み、トランジ（腐敗する遺体の像）の心象を抱いていた。彼はラテン語で執筆した自伝である『カレル伝（Vita Caroli）』（一三七一年頃）の中で、自分の後継者となる未来のチェコ王たちに向けて、次のように書いている。

> 私の後、汝らが王冠に飾られて王として統治するようになったら、思い出すべし——私もまた、汝らの前に王として統治していたということを、私が蛆虫の塵と土に返されたということを。同じように汝らもまた、影のように、野の花のように、消え去って無に帰するであろう。真の信仰と聖なる復活への希望を伴う、清らかな良心が与えられていなければ、身分の高さや財産の多さが何になるであろうか？[4]

カレルは熱心な聖遺物崇敬者であり、聖遺物が引き起こす奇跡を信じ、ヨーロッパ各地から多くの聖遺物を収集した。その結果、聖遺物の保有数に関しては、当時のヨーロッパでプラハはローマの次に多くなり、カレルの時代、プラハの聖ヴィート大聖堂には聖遺物を納めた祭壇が六七もあったと言う。[5] 秋山聰の言葉を借りるなら、カレルは「巡幸の際に各地の高名な聖遺物を割譲させることによりプラハに聖遺物の一大コレクションを築き上げた」のである。[6] 一般にゴシック時代には聖遺物崇敬が盛んになり、カレルは特にフランスにおける聖遺物崇敬の影響を受けたが、やはり熱心な聖遺物崇敬者であった母エリシュカからの影響があったことも指摘されている。[7] カレルがチェコ王としての自分の戴冠式のために新たに作らせた王冠（聖ヴァーツラフの王冠）にも、上に付けた小さな十字架の中に、第一級の聖遺物であるイエス・キリストの荊冠の刺（とげ）を納めさせた。

ところで、聖遺物とは、秋山聰によれば、①聖なる人の遺体・遺骨・遺灰等、②聖なる人が生前に身にまとったり、触れた事物、③これらの聖遺物に触れた事物である。聖人は、天上の神に由来する特別な力＝ウィルトゥスを持っていて、それを放射し、その力によって奇跡を起こすとされた。つまり、神がその力を地上で行使するためのメディア（媒体）だったのである。そしてこのウィルトゥスは、聖人の身体に生前から宿り、死後もその遺体に残存し続けるとされ、聖人やその遺体が接触した事物にもウィルトゥスが移るとされた。[8]

カレルが聖遺物の引き起こす奇跡や超常現象を信じていたことについては、以下のような様々な逸話が残されている。

イタリア出身のフランチェスコ修道会士で、カレル四世に仕えたジョヴァンニ・デ・マリニョーリ（チェコ語ではヤン・マリニョラ）（一二九〇？〜一三五九？）の『チェコ年代記』によれば、カレルがプラハ旧市街の修道院にあった聖ミクラーシュの聖遺物である指の一部を折り取ると、指から血が流れ出したので、プラハ大司教の助言に従ってそれを返したところ、指は元通りに癒着したという。カレルは、この出来事を記念して、カルルシュテイン城の王宮内の自分の部屋に聖ミクラーシュの絵を架け、また聖ヴィート大聖堂に造った祭壇の一つを聖ミクラーシュに捧げた。[9]

また、カレルが一三七一年に重病になった時には、妻のアルジュビェタ（エリシュカ）がカルルシュテイン城からプラハまで徒歩で巡礼を行い、聖ヴィート大聖堂内の聖ジクムントの墓に純金を献げた。その後カレルは病気が治り、彼はそれを聖ジクムントのおかげだとして感謝し、聖ヴィート大聖堂に聖ジクムントの絵の付いた贈り物をした。[10]

ところで、カレルの聖遺物崇敬は、チェコ・ゴシック美術に重要な影響を与えたと考えられる。カレルは熱心な聖母マリア崇敬者であったが、カレルが収集した第一級の聖遺物に、磔刑死したイエスの血が付いた聖母マリアの衣（以下、血痕聖衣）[11]があり、これが、次章で詳論するチェコのピエタに影響を与えたと考えられるのである。

実は、カレルの時代のプラハには、聖母の外衣・かぶり物（peplum）の聖遺物が三点もあったと言われ、そのうち二点は血の付いた衣（peplum cruentatum）、即ち血痕聖衣であったという。三点のうち第一のものは出所不明だが、磔刑の際に十字架の下に立っていた聖母がイエス・キリストの血を浴びてその血が付いたと言われるもので、恐らくはカレルが母エリシュカから受け継いで、一三五四年以前に聖ヴィート大聖堂に奉納したものである。第二のものは、カレルが一三五四年にドイツの町トリーアの聖マキシミン修道院で入手して聖ヴィート大聖堂に奉納した白い衣で、これには血は付いていなかった。第三のものは、カレルが一三六八年にローマから持ち帰って聖ヴィート大聖堂に奉納したもので、聖母が十字架上のイエスを自分のかぶり物で包んだ際に、イエスの脇腹の疵から血が流れ落ちて付いたものだと言われる。[12]

血痕聖衣は、（血の付いていない）ただの聖衣と対極的なものと言えるだろう。フランスを代表する大聖堂の一つであるシャルトル大聖堂の主要な聖遺物として、マリアがイエスの降誕の際に着ていたという聖衣があるが、この聖遺物は大変な崇敬を集めて、数世紀にわたって多数の巡礼者をひきつけ、それによって莫大な経済的利益をもたらしたという。[13] プラハ大聖堂の血痕聖衣は、このシャルトル大聖堂の聖衣のいわば向こうを張るものであり、あちらはイエスの降誕の際にイエスに触れたマリアの聖衣、こちらはイエスの磔刑死の際にイエスに触れたマリアの聖衣なのである。そして恐らく、後者に付いた血痕は前者との区別を際立たせることになるし、更には聖体拝領を示唆するものにもなりうる。そのため、降誕の際にイエスに触れたただの聖衣よりも、イエスの血の付いた血痕聖衣の方が、インパクトが強くて貴重なものに感じられたのではなかろうか？

ところで、神聖ローマ皇帝の正統性を証明する「帝国宝物」の中には、イエス・キリストの磔刑の際に用いられた聖槍、聖釘、十字架の木片などの聖遺物も含まれていて、神聖ローマ皇帝となったカレルは、それらを継承してプラハに運んだ。カレルは、恐らくは、パリで王権の表徴としての聖遺物を公開する聖遺物展観行事を行っていたフランス王室の影響もあり、神聖ローマ帝国の「帝国宝物」と聖母マリアの聖衣などの聖遺物を祝祭日などに公開する聖遺物展観行事をプラハで行い始めた。教皇教書によって、聖遺物展観に参加した者には破格に日数の多い贖宥が与えられるとされていたこともあり、この行事には多くの人々が詰めかけた。[14]

熱心な聖母マリア崇敬者であったカレルは、聖母被昇天祭などに行われる聖母マリアの聖遺物の展観行事に参加した者に与えられる贖宥の日数を増やしたり、展観の頻度を増やしたりする許可を、ローマ教皇から得た。その展観行事への参加者はあまりにも多くなったので、プラハの広場が人で埋め尽くされたり、プラハで飲食物が不足したりしたという。[15]このような巡礼者の大群がプラハに莫大な利益をもたらしたことは、疑いない。

カレルは聖母マリア崇敬を高め広めるために、プラハの聖ヴィート大聖堂付属の「マンスィオナーシュ「(mansionáři)」という合唱団も創設した。これは、聖母マリアに敬意を表して毎日、時禱書を歌うための、二四人の聖職者から成る合唱団であった。[16]

このようなカレルの聖母マリア崇敬とそれをめぐる努力が、チェコ・ゴシック美術にも影響を与え、聖母マリアの絵画と彫刻を数多く生み出すことに繋がったばかりでなく、次章で詳述するが、重要なことに血痕聖衣のモチーフがチェコ・ゴシック美術に導入されることに繋がったと考えられるのである。

カレルは生涯、熱心な聖遺物崇敬者であった。最晩年の一三七七年から七八年にかけて、既に年老いて病身になっていた彼は、息子のヴァーツラフと多くの随行員を連れて、若き日を過ごした、思い出深いフランスへの最後の旅を決行した。その際も、病身を押して、無理をしてまで聖遺物を拝みに行ったという。『フランス大年代記（Grandes Chroniques de France)』には、カレルが貴重な聖遺物を納めたサント・シャペルを訪れた時のことが記されている。それによると、既に歩行が困難になり、輿に乗って移動していたカレルは、キリスト受難の聖遺物、とりわけ荊冠を納めた所に行くために狭い螺旋階段を上っていかねばならず、わざわざ輿を下り、手足を引いてもらい、大変な苦痛を味わいながら上っていったという。[17]

ちなみに、同じ『フランス大年代記』には、このカレルの最後のフランス訪問の際、最初の妻ブランシュ――カレルが幼少期を過ごしたフランスの宮廷での幼なじみであり、既に子供の頃に婚約してカレルの愛妻となったが、三〇代前半で亡くなった――の姉のブルボン公妃イサベルとサン・ポル宮殿で再会した時のことも記されている。それによれば、カレルはひどく泣き出し、イサベルもひどく泣き出して、それは非常にいたわしい光景だったという。[18]カレルの人間的な一面を伝える逸話と言えよう。また、この年代記には、このフランス訪問の際、一三七八年一月六日にフランス王シャルル五世（カレルの甥）が八百人もの賓客を招いて開いたという大宴会の模様を描いた挿絵《神聖ローマ皇帝カレル四世をもてなすシャルル五世》もある。そこには、食卓を前にしてシャルル五世の右にカレル四世、左にヴァーツラフ四世が描かれている。[19]

このフランス訪問の後、プラハに戻ったカレルは間もなく、同年の一三七八年一一月二九日にプラハ城で死去し、盛大な葬儀が行われ、遺体は聖ヴィート大聖堂に納められた。

## 三　カレル四世の主な事績

中世ヨーロッパにおいては、軍事的衝突は珍しいものではなかった。カレル四世も時として戦いを行ったものの、彼は「平和の大公」とも言われるように、戦いよりもむしろ外交と協定、婚姻政策などを優先して諸問題を解決しようとした。そしてカレル四世の時代、チェコ王国は軍隊に蹂躙されることがなかった。このように、比較的戦いが少なかった、いわば「カレルの平和」の時代に、チェコは経済的にも文化的にも発展した。そしてそのような比較的恵まれた条件の中で、カレルは――初めは父ヨハンと共に――様々な政策を打ち出し、次々と事業を実現していった。そのうち大きなものとしては、(一)プラハ城の再建、(二)プラハ大司教区の設立、(三)聖ヴィート大聖堂(聖ヴィート・ヴァーツラフ・ヴォイチェフ大聖堂)の建造、(四)プラハ大学(カレル大学)の設立、(五)プラハ新市街の創設、(六)プラハ橋(カレル橋)の建設、(七)カルルシュテイン城の建設などがある。次に、これらの事業について見ていこう。

まずプラハ城の再建についてであるが、カレルの父ヨハンが一三一〇年にプラハにやって来たとき、王宮を焼失させた一三〇三年の大火や飢饉や不安定な政治のために、プラハ城は荒廃してしまっていた。[20] そのため、ヨハンと妻のエリシュカは、前述のプラハの旧市街広場に面して建っていた宮殿(「石の鐘の下の家」)に住み、そこでカレルも生まれたと考えられる。

カレルも、長い外国生活の後で一三三三年にチェコに戻って来た時のことを、自伝の中でこう述べている。

> プラハ城はすっかり打ち捨てられ、壊れ、損なわれていた。というのも、オタカル二世王の時代以来、城は床まですっかり崩れてしまっていたからである。私はその場所に、大きくて美しい城を、莫大な費用をかけて新たに建てさせた。[21]

カレルは、プラハ城をフランスの模範に従って再建させたが、城の中心になったのは、後にヴラヂスラフ・ホールと呼ばれる美しいホールとなった大広間であった。また、プラハ城内の「万聖人礼拝堂」を、パリのサント・シャペルに倣って改築させた（ただし、この礼拝堂は後に火災で元の姿を失った）。一三五五年以降、プラハ城の王宮には、カレル四世の先任者であるチェコ王たちの一二〇枚の連作画が配置されたが、これも、パリにかつてあったシテ宮殿における同様の配置に倣ったものであった[22]。

政治的な中心・象徴であるプラハ城の再建と並んで重要だったのは、宗教的にプラハを高めるためのプラハ大司教区の設立と、宗教的な中心・象徴であるプラハ大聖堂の建造であった。

ドイツのマインツ大司教区に従属していたプラハ司教区を独立した大司教区に高めることは、既にプシェミスル家の王たちが目指して叶わなかったことだったが、一三四四年にヨハンとカレルは、フランス時代のカレルのかつての教師で今やアヴィニョンの教皇となっていたクレメンス六世（ピエール・ロジエ）のもとに赴き、話し合いの末、プラハ大司教区の設置が認められた。これによって、それまでマインツ大司教によって戴冠されていたチェコ王は、自国の大司教によって戴冠できることにもなった。

次にヨハンとカレルは、戴冠・巡礼・記念のためのプラハ大聖堂を建造することにし、初代のプラハ大司教となったパルドゥビツェのアルノシュト（一二九七～一三六四。プラハ大司教在位一三四四～六四）とヨハンとカレルの列席のもと、一三四四年一一月二一日に聖ヴィート大聖堂の定礎式を行った。そこは、チェコ第一の守護聖人たる聖ヴァーツラフとなったプシェミスル家のヴァーツラフ大公（九〇七?～九三五?）が既に、聖ヴィート（ルカニアの聖ヴィトゥス）の聖遺物を納めたロトンダ（円形聖堂）を造り、その後のプシェミスル家の王たちがロマネスク様式のバシリカに改造していた所だった。

フランスに太い人脈のあったカレルは、この大聖堂の建築のために、教皇庁のあったアヴィニョンから、恐らくは教皇クレメンス六世の推薦で、フランスの建築家アラスのマティアーシュをプラハに呼び寄せた。マティアーシュは南フランスのナルボンヌやロデーズの大聖堂から影響を受けていたと言われ、チェコの大聖堂に本格的な南フランスのゴシック様式を導入した[23]。

アラスのマティアーシュは、一三四四年から一三五二年まで大聖堂の建築を指揮した。彼の死後、カレルはドイツ・シュヴァーベン地方シュヴェービッシュ・グミュント出身のペトル・パルレーシュを呼び寄せて、大聖堂の建築を引き継がせた。パルレーシュは、ケルンから出たドイツの石工の家系に属し、特にドイツのラインラント地方のゴシック様式から影響を受けていたが、チェコで独自の様式も生み出した。パルレーシュがチェコにやって来た時はまだ二

図 2-2　聖ヴィート大聖堂（南側）

三歳であったが、一三五二年から約四〇年間チェコで活動し、その建築はチェコのみならず他のヨーロッパ諸国にも影響を与えた。ペトル・パルレーシュの死後は、ヴァーツラフ・パルレーシュなどの息子たちがその仕事を引き継いだ。

神聖ローマ帝国の首都となったプラハの聖ヴィート大聖堂は、チェコ王が戴冠式を行うための大聖堂であるほか、プシェミスル家とルクセンブルク家の君主たちの墓を納めた霊廟でもあり、更にチェコの守護聖人たちを祀る教会でもある（そのことは、聖ヴィート・ヴァーツラフ・ヴォイチェフというチェコの守護聖人たちの聖遺物を納めて、彼らの名前を正式名に冠していることにも示されている）。この大聖堂には三人の守護聖人の聖遺物のほかに、やはりチェコの守護聖人であるブルグントの聖ジクムント（ジギスムント）などの聖遺物も納められ、重要な巡礼教会になった。

前述のように、カレルは熱心な聖遺物崇敬者であったが、幼少期を過ごしたフランスでは聖遺物崇敬が盛んであり、聖遺物がその魔術的な力で国王の地上的な統治に神聖な後光を加えることを知っていて、フランスの先例に倣おうとした。また、プラハに聖遺物を集めることによって、プラハを国際的な巡礼地にしようとした。[24]カレルは政治を宗教

と結びつけ、自らの権力をキリスト教によって神聖化し高めようとしたが、そのことは、プラハ城の敷地内に聖ヴィート大聖堂があるというロケーションにも表れていると言えよう。

次に、プラハ大学の設立についてであるが、大学の設立は既にカレルの母方の祖父に当たるプシェミスル家のヴァーツラフ二世が目指したが、実現していなかった。フランス時代にパリ大学を知ったカレルは、プラハ大学の設立を実現すべく、プラハ大聖堂の場合と同様に、一三四六年、旧知の教皇クレメンス六世に使節を派遣し、教皇から大学設立の許可を得て、一三四八年にプラハ大学（現在のカレル大学）の設立勅書を発して、パリ大学とボローニャ大学を模範にした大学を創設した。その勅書の中で、カレルは次のように述べている。

> 私は［……］私の尽力によって、私の時代に、チェコ王国が多くの学識ある人々によって飾られるように努める。
>
> そして、知識の果実を絶えず渇望する、我が王国の忠実な住民たちが、他の国々で恵みを乞わなくても済むように、王国の中で整えたごちそうの食卓を見つけるように、生来の賢さに優れた者たちが学問の認識によって教養を身につけるように、そして、もはや学問の探求のために世界の地方を経巡って他の国民に頼ることを強いられず、それを余計なことと見なせるように、あるいは彼らの願いが叶えられるためによその土地でねだる必要のないように、逆に、異国から他の人々を我が国へ呼び寄せて、彼らをその魅惑的な香りと大きな感謝に加わらせることを自分たちの名誉と見なせるように。
>
> それ故に、私の考えのこれほど有益で称賛に値する意図がしかるべき果実をつけるように、そしてこの王国の威厳が喜ばしく新しきことによって増えるように、私は、熟慮を重ねた末、我が首都の、とりわけ魅力的なプラハの町に公共の大学を創設し、立ち上げ、新たに創り出すことを決めた。この町は、すべて必要なものに富んでいるので、土地の産物の豊かさによっても、場所の快さによっても、このような偉大な課題に非常にふさわしく、適している。[25]

更に続けてカレルは、大学の教授や学生たちには、パリ大学やボローニャ大学の人たちが享受しているような、特別の保護と特権と自由が与えられることを約束している。

プラハ大学には、最初から四つの学部――自由学芸学部

(七自由学科、後の哲学部)、医学部、法学部、神学部——が設置された。大学設立以前から既に存在した教会の学校との連続性があったこともあり、初めのうち大学は独自の建物を持たず、聖ヴィート大聖堂などの教会や修道院の中の部屋で授業が行われた。だが、その後、カレルの名を取った「カレルの学寮(Collegium Carolinum)」——チェコ語では「カロリーヌム(Karolinum)」——などの学寮が造られていった。大学の成員は、地理的な出身地によってチェコ民(族)、ポーランド民(族)(シレジアとソルブ出身者を含む)、ザクセン民(族)、バイエルン民(族)の四つの「民(族) národ」に分類され、票決の際にはそれぞれの民(族)に一票ずつが割り当てられた。[26]

当時、ヨーロッパには既に約一三の大学があったが、プラハ大学は、ライン川以東、アルプス以北で最初の大学になった。当時の年代記によれば、プラハ大学には、チェコやドイツのみならず、イギリス、フランス、ロンバルディア、ハンガリー、ポーランドなど、各国から学生がやって来たという。[27]そして、カレルの死の一三七八年の時点で、プラハ大学の学生数は約七千人になっていて、それはパリ大学とほぼ同数だったという。当時のプラハの人口は約四万人だったので、大学関係者はかなりの割合を占めていたことになる。[28]プラハ大学は単にチェコの大学ではなく、神聖ローマ帝国の大学であったが、カレルは帝国内のその他の諸都市にも、幾つかの大学の設立を許可した。[29]

知られているように、中世ヨーロッパの都市は通例、町全体が数キロにも及ぶ高い市壁で囲まれていた。出入りのできる門の数は限られ、市壁には更に物見櫓のような塔が幾つも付けられていた。別言すると、町を囲む市壁によって、町の土地の面積が限られていたということである。

プラハに神聖ローマ皇帝の宮廷が置かれて、この町が神聖ローマ帝国の首都になり、大聖堂が造られて重要な巡礼地にもなり、大学が造られて大学都市にもなると、プラハに住民が増えて土地が不足してきた。そのためカレルは、市壁で囲ったヴルタヴァ川右岸の町(旧市街)に隣接した南東側の非常に広い土地を市壁で囲って新しい町(新市街)を造ることとし、一三四八年三月二六日に正式に新市街の市壁の定礎式を行った。二年の間に、長さ約三・五キロメートル、高さ約一〇メートルの市壁が築かれ、市壁には四つの門と二一の塔が付けられた。この新市街の中心となったのは、元々「家畜広場」と呼ばれ、現在は「カレル広場」と呼ばれている、面積ではチェコ最大の広場である(八万五百五十二平方メートル[30])。

新市街には、最初にカレルによって「雪の聖母マリア教会」、カルロフ(「聖母マリアと聖カール大帝教会」と修道

図2-4　雪の聖母マリア教会(内部)

図 2-3　雪の聖母マリア教会（南側）（14 世紀、プラハ）

図 2-5　聖母マリアと聖カール大帝教会（14 世紀、プラハ）

院）、「ナ・スロヴァネフ修道院」といった大きな宗教施設が創設され、それに続いて多くの教会堂が建てられていった。

「雪の聖母マリア教会」は、カレルがローマの「サンタ・マリア・マッジョーレ大聖堂」に触発されて建設した教会堂である。一三四七年九月二日の聖ヴィート大聖堂におけるカレルと妻ブランシュのチェコ王と王妃の戴冠式の翌日に建築が開始され、当初は、丘の上の城地区の聖ヴィート大聖堂と並ぶ、新市街の大きくて重要な教会堂として計画された。実際には当初の計画の一部しか実現されなかったが、それでも高さが五〇メートルもある。

カルロフの「聖母マリアと聖カール大帝教会」は、カレル四世が尊敬していたカール大帝が創設してその霊廟ともなったアーヘンの教会に似せて、中央身廊の平面図を八角形にし、チェコにおけるカール大帝崇敬の中心地とされた。[31] プラハ城に並び立つ聖ヴィート大聖堂が、聖ヴァーツラフに代表されるプシェミスル家のチェコ王国の伝統との繋がりを示すものであるとすれば、新市街に造られたこの「聖母マリアと聖カール大帝教会」は、カール大帝に代表される神聖ローマ帝国の伝統との繋がりを示すものである。そしてもう一つ、チェコ王国より古い、スラヴ人の大モラヴィア帝国の伝統との繋がりを示すものが、次に述べる「ナ・スロヴァネフ修道院」[32]である。つまり、「よそ者王（外国人王）」と言われたルクセンブルク家のヨハンの息子であったカレルは、①聖ヴァーツラフに代表されるプシェミスル家のチェコ王国とチェコ語、②カール大帝に代表される神聖ローマ帝国とラテン語、③大モラヴィア帝国と、キュリロスとメトディオスに代表される古教会スラヴ語[33]という、三つの伝統との繋がりを明示して、自らをいわば「土着化」し、チェコ王と神聖ローマ皇帝としての自らの正統性と由緒正しさを強調すると共に、チェコの伝統を「国際化」して拡張しようとしたのだと考えられる。

カレルが一三四七年に創設した「ナ・スロヴァネフ修道院」（スラヴ人の地の修道院）は、その名に示されている通り、カレル四世がクレメンス六世に頼んで——正教の典礼ではなく、カトリックの典礼を教会スラヴ語で行う——スラヴ語典礼とグラゴル文字（キリル文字の前身）の使用を許可してもらった唯一の宗教施設である。そして、カレル時代のチェコにおいては既に廃れていたスラヴ語典礼を復活させるために、グラゴル文字と教会スラヴ語によるカトリックの典礼を行っていたダルマチア（現在のクロアチアの地方）の「グラゴル派」の修道士を呼び寄せた。[34] 西方教会によってチェコで駆逐されたスラヴ語典礼を復活させようとしたカレルの試みは、「金印勅書」においてスラヴ語に神聖ローマ帝国の公用語のような地位を与えたことと並んで、思い切った企図だったと言えよう。カレルは「ナ・スロヴァネフ修道院」によって、大モラヴィア帝国と古教会スラヴ語の伝統を示すと共に、南東ヨーロッパのスラヴ人の国と関係を結ぼうとし、更には東西教会の統一を目指そうとしたとも言われる。[35] 興味深いことに、この修道院は、後のフス戦争が勃発した一四一九年に、修道院長がフス派の「両形色」（葡萄酒とパン）による聖体拝領を許したためにフス派による破壊を免れ、一五九三年までフス派の修道院となった。その間、スラヴ的伝統を維持して、恐らくは教会スラヴ語典礼も保たれていただろうと考えられている。[36]

「ナ・スロヴァネフ修道院」は、聖母マリアのほか、スラヴ的伝統とゆかりのある聖ヒエロニムス（三四七頃〜四二〇頃）、メトディオス（八一五頃〜八八五）とコンスタンティノス（キュリロス、キリル）（八二六／八二七〜八六九）の兄弟、聖ヴォイチェフ（九五六〜九九七）、聖プロコプ（九八〇／九九〇〜一〇五三）に奉献された。聖ヒエロニムスは、（スラヴ人の地である）前述のダルマチアの出身であり、聖書をラテン語に訳したことで知られるが、伝説によれば彼は聖書をスラヴ語にも訳したとされる。メトディオスとコンスタンティノスは、スラヴ人にキリスト教（正教）を伝え、スラヴ語を書き表すためのグラゴル文字を考案し、スラヴ語典礼を始めたギリシャ人宣教師である。チェコの守護聖人である聖ヴォイチェフは、チェコ人として最初にプラハ司教になった第二代プラハ司教であると同時に、伝説では、「主よ、我らを憐れみたまえ（Hospodine, pomiluj ny）」というチェコ最古のスラヴ語の祈り（聖歌）の作者と見なされていた。[37] やはりチェコの守護聖人である聖プロコプは、かつてチェコにおける古教会スラヴ語典礼の拠点であったサーザヴァ修道院の創始者である。

興味深いことに、カレルは、スラヴ語典礼の復活を目指したこの新設の「ナ・スロヴァネフ修道院」に、グラゴル文字とキリル文字で書かれた古教会スラヴ語訳の礼拝用抄録福音書を寄贈した。この写本の最後には、一三九五年の記述として、この写本は聖プロコプその人が書いたものであり、神聖ローマ皇帝・故カレル四世がこの修道院を祝福して聖ヒエロニムスと聖プロコプを讃えるために修道院に寄贈した旨が、全く異例にもグラゴル文字を用いたチェコ語で記されている。この装飾写本は、奇しくも、後に、フランスを代表するゴシック大聖堂の一つで、フランス王の戴冠式が行われていたランス大聖堂（ノートル・ダム大聖堂）の宝物の一つとなったため、フランス語で『Evangéliaire de Reims（ランスの抄録福音書）』と呼ばれ、またフランス王たちが戴冠式（聖別式）の宣誓の際に使用したという言い伝えから、フランス語で『Text du Sacre（聖別式のテクスト）』とも呼ばれる。また、聖プロコプその人が書いたという言い伝えから、『サーザヴァの抄録福音書』とも呼ばれる。[38]「ナ・スロヴァネフ修道院」には大きな書庫と写本工房があり、そこで写本と装飾が行われていて、この『ランスの抄録福音書』の一部はそこで作られたとされる。[39] いずれにせよ、この古教会スラヴ語訳の礼拝用抄録福音書が非常に貴重なものであることは確かであり、カレル四世のスラヴへの思い入れの強さを証すものの一つと言えよう。[40]

次にプラハ橋（カレル橋）（図2-6）の建設について

図 2-6　カレル橋（プラハ：14 世紀）（奥の丘の上はプラハ城と聖ヴィート大聖堂）

であるが、ヴルタヴァ川には、既に一二世紀にヴラヂスラフ王（一一一〇頃〜七四。チェコ王在位一一五八〜七二）が架けて王妃ユディタの名を冠したユディタ橋があった。しかし、この橋が一三四二年の洪水で壊れたため、カレルは新しい橋を架けることとし、一三五七年にカレルの臨席のもとに定礎式が行われた。橋は、長さ約五一六メートル、幅約九、五メートルで、左右一六のアーチがあり、ヨーロッパ最長の石橋となった。更に、橋の旧市街側（右岸側）には、一三七〇年頃から、ペトル・パルレーシュの工房によって、堂々たる橋塔（図2－7）が建てられた。

図 2-7　旧市街橋塔（旧市街側正面）（14 世紀、プラハ）

旧市街の門の一つを成していたこの橋塔(塔を付けた門)は、「王の道」の中間に位置し、モニュメントの役割を果たした。「王の道」とは、チェコ王戴冠式の際の行進が、プシェミスル家にゆかりの深いヴルタヴァ川右岸の古城ヴィシェフラット（高城）から出発し、新市街と旧市街を通ってカレル橋を渡り、更に左岸のマラー・ストラナ（小地区）を通ってプラハ城へと至る道のことである。旧市街橋塔の東側（旧市街側）の正面には、右側（向かって左側）に王座に座るカレル四世の座像と、神聖ローマ帝国を示す黒い鷲の紋章が付けられ、左側にはやはり王座に座る息子ヴァーツラフ四世の座像と、チェコ王国を示す双尾の獅子の紋章が付けられ、その間（中央）のやや高い所には聖ヴィートの立像が付けられていて、二つの紋章は聖ヴィートに敬意を示すように聖人の方に向かって傾いている（中央が一番重要な位置であり、右側――向かって左側――が左側より重要な位置である）。更に、聖ヴィートの頭上の高い所にはプシェミスル家の炎の鷲の紋章（聖ヴァーツラフの紋章）が付けられていて、その上の階には聖ジギスムントと聖プロコプの立像が付けられている。

図 2-8　カルルシュテイン城（14 世紀、カルルシュテイン）（左が大塔）

このように、旧市街橋塔は、カレル四世とヴァーツラフ四世を、領邦の守護聖人たちの庇護のもと、神の法に則って諸領邦を公正で慈悲深く統治する、賢明な君主として演出している。つまり、ルクセンブルク家の統治のモニュメントであり、その地上的統治に神聖な次元を与えようとしたものなのである。[41]

次に、カルルシュテイン城の建設についてであるが、この城はプラハの南西約三〇キロの所にある山城であり、カレル四世が私的な居城として一三四八年に建設を始めたものである。しかし、後に神聖ローマ皇帝の戴冠式の重要な宝物・徽章（帝国宝物）や多くの聖遺物の保管場所となり、宝物は聖十字架礼拝堂――城の大塔の中にあって城全体の中で最も重要な礼拝堂――に納められた。[42]

前述のカルロフの「聖母マリアと聖カール大帝教会」にも見られるように、カレル四世は自分と同名で、神聖ローマ皇帝の祖先であるカール大帝を崇敬していて、様々な手

図2-9　マイスター・テオドリク《聖カール大帝》（カルルシュテイン城内部の連作肖像画の一つ）（14世紀、カルルシュテイン、プラハの国立美術館所蔵）

段で神聖ローマ帝国の伝統を強調し、自分がカール大帝に繋がる後継者であることを示そうとしていた。そしてカルルシュテイン城では、「ルクセンブルク家の系図のマイスター」と呼ばれる画家が、一三五〇年代に、カレルの先祖たちを描いた《ルクセンブルク家の系図》と呼ばれる連作絵画（壁画）で大広間の壁を飾った。この連作絵画は、なんと旧約聖書の族長たちから始まり、フランク王国の王たちを通って、カレル四世とその最初の妻ブランシュにまで至る、壮大な系図を成していた（壁画は後に破壊されて複製のみ残る）[43]。まさにアーロン・グレーヴィチが述べている通り、「封建領主たちは自分たちの系譜に心を配り、自分たちの家系をはるか昔にさかのぼらせ、［……］高貴で名高い先祖に行きつくことも稀ではなかった。自分たちの起源の古さをアピールすることによって自分たちの家系の声望を確かなものにしようとしたのだが、このことから支配階級の『時』に対する態度がよくうかがえるのである――中世における強力で高貴な有力者とは、その背後に数多くの世代が控えている人物、氏族的な『時』――それゆえ歴史的な『時』――を自らの内にいわば凝縮させている人物のことであった」[44]。

カレルはまた、カルルシュテイン城の聖十字架礼拝堂へと上る階段の壁を、自分の母方の先祖である聖ヴァーツラフと聖ルドミラの連作絵画――その最後にはカレルとその家族の絵が位置する――で飾り、最も重要な聖十字架礼拝堂内部を、マイスター・テオドリク（一三二八以前？～八一？）の工房が制作したと考えられる、聖カール大帝の肖像画を含む一三〇枚（現存は一二九枚）の聖人たちの絵（板絵）で飾った。[45] この聖十字架礼拝堂は、それ自体が神聖ローマ帝国とチェコ王国の聖遺物の巨大な保管所としての役割を持ち、これら一三〇枚の絵に描かれた聖人たちは聖遺物を守る天の軍隊という意味を持っていて、約三分の二の聖人たちの絵の枠の中にはその聖人の聖遺物が納められていたという。そして、キリストの磔刑に関係する聖遺物――荊冠の刺、（イエスの口元に差し上げられた）スポンジ、十字架の木片――は、大きな磔刑図のしかるべき場所に直接入れられていた。カルルシュテイン城に保管された聖遺物と宝物は、毎年、プラハ新市街の家畜広場（現在のカレル広場）で展観され、チェコのみならず外国からも多くの巡礼者を集めた。[46]

## 四　カレル四世の「皇帝様式」

前述のように、カレルは自らの権力に威信を与えるために、芸術を積極的に利用した。近代的な意味での芸術家というよりも職人であった中世の建築家・彫刻家・画家たちも――彼らはしばしば名前が分からないため、作品にちなんで「～のマイスター」と呼ばれるが――、皇帝・国王・教皇・大司教・大貴族など、財力のある有力者たちの注文を受けて、その意向や趣味に適うような作品を作った。そのため、それを反映する「様式」のようなものが形成されてきた。それと同時に、それらの「職人」たちは、自らが修業した工房や土地の要素を他の土地にも持ち込み、それがその土地の伝統と混交して新たな様式を形成することにもなった。

既に、カレルの父であったルクセンブルク家のヨハンが、恐らくはフランスから芸術家たちをチェコに連れてきて、プラハにはフランスの要素が流れ込んだ。それは、旧市街広場のかつての宮廷の一部であったと考えられる「石の鐘の下の家」の彫刻装飾などに見られる。[47]

フランスとの繋がりが強く、フランスの宮廷文化に通じていたカレルは、統治の初期に、フランスの伝統に倣ってチェコの君主を演出する新しい図像を創り出そうとした。[48] カレルが呼び寄せたフランスの芸術家たちによって、チェコには特にフランスの要素が入り込み、更に、カレルが暫く滞在もし、コンタクトの多かったイタリアの要素、そしてもちろん神聖ローマ皇帝として繋がりの強かったドイツの要素も入り込んだ。こうして、カレルの宮廷画家となってカルルシュテイン城の《ルクセンブルク家の系図》の連作絵画を描いたルクセンブルク家の系図のマイスターや、同じくカレルの宮廷画家となってカルルシュテイン城の聖カール大帝の肖像画を含む一三〇枚の肖像画を描いたマイスター・テオドリクの作品に代表される、量感に富む人物像を中心とする記念碑的な様式――「皇帝様式」とも呼ばれる[49]――が形成されたのである。

「ルクセンブルク家の系図のマイスター」と呼ばれている画家は、ストラスブールのミクラーシュ・ヴルムセル（一三二〇以前～六三）であろうと推測されているが、彼は一三五七年頃にカレルの宮廷画家になったと考えられ、プラハの宮廷美術にフランコ・フラマン（フランス・フランドル）派的な新しい自然主義の要素を導入した[50]。

そして一三六〇～七〇年代頃が、ヤン・ロイトによればカレルの芸術の頂点である。一三五六年にドイツ・シュヴァーベン地方出身の建築家ペトル・パルレーシュがカレルによってプラハに招かれて、聖ヴィート大聖堂の波打つ壁などに見られるように、建築に動的で立体感のある原理を持ち込んだ。一三六〇年代には、絵画に西欧（フランス、ラインラント）の影響が入り込んだが、この時期の最大の画家は、カレルが一三五五～五九年の間にケルンからプラハに招いて宮廷画家としたマイスター・テオドリクである。彼の絵画の特徴は、（絵の中の人物や物が絵の枠からはみ出すような）幻想性と立体感、量感、細部の自然主義、記念碑性などである[51]。このようなマイスター・テオドリクの様式は、イジー・ファイトによればフランコ・フラマン派との繋がりを示しているが、そのような様式はまた、ルクセンブルク家の伝統的な領地に近い、ケルンを含むラインラントにも見られる[52]。

このように、しばしばカレルに招かれて外国からプラハにやって来た芸術家たちがチェコに新しい要素を持ち込み、彼らがプラハで交流し、新しい様式が生まれて来たのである。数十人の石工や彫刻家を抱えたペトル・パルレーシュの建築・彫刻工房、宮廷画家たちと写本画家（挿絵画家・細密画家）たち、ステンドグラス制作者たち、金細工師たち、刺繍家たちは、共にプラハの宮廷周辺の創造的な場を形成した。ここでフランス、ドイツ、イタリアの芸術的創造力が混じり合い、芸術諸分野の間の生き生きとした交流が可能になり、芸術上の様々な世代が出会った。君主たちの図像体系と芸術様式も、統一的な要素となった[53]。

中世において重要な芸術ジャンルであった写本装飾（細密画）について触れておくと、チェコの写本装飾のレベルも、国際交流の活発化によって、既に一三二〇年代から向上していった。特に、イタリアのボローニャとパドヴァは北イタリアにおける写本装飾の中心地であったが、チェコの学生たちが当地で学ぶことによって繋がりが強まった。また、教皇庁のあったフランスのアヴィニョンには、フランスとイタリアの写本画家たちが働く工房があったが、この町にチェコの多くの外交官や高位聖職者などが滞在した。イタリアやフランスから写本がチェコに輸入されていたことが史料から分かっているが、それらの写本はチェコの写本画家にとって模範になったと考えられる。チェコからの注文を受けて外国で制作された装飾写本もあった。この点で興味深いのは、チェコ語で書かれた年代記としては最古のものとして知られる『ダリミルの年代記』のラテン語訳の豪華な装飾写本が、恐らくはカレル四世その人の注文によって一三三〇年代にボローニャで制作されたことである。[54]

カレル四世の時代の最も重要な装飾画家はマイスター・ヴィアティクだが、彼はイタリアとフランスの絵画の影響を受けながらも新機軸を導入し、その後のチェコ写本装飾に影響を与えた。彼が制作した重要な装飾写本として、リトミシュル司教にしてカレル四世の尚書局長だった文化人ストシェダのヤン（一三〇五／一〇～八〇。リトミシュル司教在位一三五三～六四、尚書局長在位一三五七～七四）が注文した『Liber viaticus（ヴィアティクの書）』がある。[55]

　プラハにおけるこのような諸外国の要素の流入・混交と新たな様式の形成に寄与したのは、もちろんカレルだけでなく、しばしば外国で学び、国際的なコンタクトを持っていた有力者たちもそうだった。特に、長年イタリアに暮らした初代プラハ大司教パルドゥビツェのアルノシュトが注文した諸作品も、当時のチェコ芸術にイタリア的要素を導き入れつつ、チェコの新しい「皇帝様式」の創造に寄与した。[56]

　イジー・ファイトによれば、カレル時代の「皇帝様式」の記念碑的表現で描かれているのは、がっしりとした情熱的な人物であり、その体の形は、貼り付くようなビロード状の衣紋の下に浮いて見える。男性の特徴は、長くてまっすぐな鼻とたっぷりとした総髭を持つ、丸みを帯びた形である（図２－９参照）。それに対して、女性の特徴は、額が高くて唇が狭く、楕円形で時としてずんぐりとさえしている顔である。根本的に新しい役割を得るのは光であり、光が量感を出し、キアロスクーロ（明暗法）によって形態をダイナミックにする。絵画と彫刻だけでなく、建築においてもそうである。[57]

　このような「皇帝様式」は、一三六〇年頃にチェコに定着し、カレルの統治の末期まで続いた。そして、チェコから神聖ローマ帝国全体と同盟者たちの領土へも輸出された。それから一三七〇年代末以降、ヨーロッパ諸国の宮廷を中心として、いわゆる「国際ゴシック様式」（「国際様式」「国際ゴシック」）」が生まれたが、それはチェコではヴァーツラフ四世時代に「美麗様式」となる。カレル時代の「皇帝様式」は、「美麗様式」が成長するための苗床となったのである。[58]

## 五　カレル四世の周辺の文化人

長年フランスやイタリアで過ごし、両国の高度な文化・芸術に親しんだカレルは、国内外の優れた文化人・芸術家たちとも交流があり、また彼らを積極的に援助して、文化・芸術の振興にも尽くした。

有名なイタリア・ルネサンスの詩人フランチェスコ・ペトラルカ（一三〇四～七四）は、ある書簡の中で次のように書いている。

> 私は告白しますが、皇帝［カレル四世］とその周辺の何人かの卓越した人たちほど、野蛮さが少なくて、人文主義に多く触れた環境を、ほかのどこにも見出したことがありません。［……］それは本当に優れていて教養のある人たちで、この点で彼らは良い記憶に値するでしょう。[59]

ペトラルカは、古代ローマの継承国家としてのイタリアの統一を望んでいて、その考えを実現するのにふさわしい人物をカレル四世に見ていた。ペトラルカは、カレルとは一三五四年にマントヴァで、一三六八年にウーディネで会い、一三五六年にはプラハの宮廷を訪れている。[60] ペトラルカのほかにも、やはりイタリアの人文主義者・政治家コーラ・ディ・リエンツォ（一三一三～五四）なども、プラハの宮廷を訪れている。[61]

カレルの周辺にいたチェコ人のうち特筆すべき文化人は、前述のドイツ系都市貴族ストシェダのヤンである。彼は、イタリアとフランスの文化に通じた人文主義的な文化人で、美術の愛好者であると同時に書籍文化の援助者でもあった。彼はイタリアの人文主義者たちとも交流し、とりわけペトラルカの賛美者であり、ダンテの手稿をプラハ小地区の聖トマーシュ教会に寄贈したこともある。彼自身、文学的才能があり、詩も書いていた。[62]

カレルと近い関係にあった歴代のプラハ大司教たちも教養が高く、芸術家のパトロンでもあった。一三四四年に初代プラハ大司教となり、一三四八年にカレル大学の事務長にもなったパルドゥビツェのアルノシュトは、プラハとイタリアで学んだ教養人で、芸術に造詣が深く、芸術家のパトロンであった。第二代プラハ大司教にしてチェコ最初の枢機卿となったヴラシミのヤン・オチコと、その甥で尚書局長も務めた第三代プラハ大司教イェンシュテインのヤンも、芸術家のパトロンであった。特にイェンシュテインのヤンは、次章で述べるように、チェコ・ゴシックの「美麗様式」の画家や彫刻家たちに影響を与えた。[63]

カレルは、神聖ローマ帝国内の重要な教会の役職――大司教、司教、修道院長――に自分の息のかかった人物をつけるように努めた。そして、とりわけ帝国の大司教たちが、資金援助や注文によって、プラハの宮廷芸術の要素を各地に広めた。一般に、帝国内でカレルの息のかかった人物が要職を占めて芸術家のパトロンとなっていた所では、芸術作品はプラハから輸入されたか、あるいはチェコで修業した芸術家によって制作された。[64] このようにして、国際的な性格の強いプラハの宮廷において、フランス、イタリア、ドイツなどの芸術潮流がチェコのそれと混じり合いながら、記念碑的な「皇帝様式」となり、それが更に、その名の通り美麗な（美しい）「美麗様式（美しい様式）」――「国際ゴシック様式」のチェコ的分枝――へと発展したのである。

# 第三章　チェコ・ゴシックの華(はな)、「美麗様式」の誕生と受難

## 一　ヴァーツラフ四世の時代――ヴァーツラフの不穏

チェコ王と神聖ローマ皇帝を兼ね、プラハを神聖ローマ帝国の首都にしてプラハとチェコ王国を大いに高め、チェコ王国の黄金時代を築いたルクセンブルク家のカレル四世は、一三七八年一一月二九日にプラハ城で死去した。盛大な葬儀で弔辞を述べたのが、プラハとパリとオックスフォードで学び、パリ大学の教授と学長も務めた神学者イェジォフのヴォイチェフ・ラニクーフ（一三二〇頃～八八）であった。彼は弔辞の中で、カレルを「祖国の父」と呼ぶと共に、この偉大な君主の死後に悪しき時代が訪れるだろうと予言した。[1] そして、カレルの死の直後にプラハ城下で大火が起きたのだが、この大火は、あたかもカレル四世死後の不穏で不安定な時代の予兆のようであった。

カレルが国王・皇帝として統治を始めた年（一三四六年）の翌年（一三四七年）頃にヨーロッパに到来したペスト感染の波は、その後、繰り返し押し寄せることになるが、カレルの死から二年後の一三八〇年頃には大きなペスト感染の津波がチェコを襲った。既に一三四九年に、カレルの姉で後のフランス王ジャン二世に嫁いでいたイトカ(ボンヌ)がペストで死亡し、カレルの娘でハンガリー王ラヨシュ一世に嫁いでいたマルケータも同年に恐らくはペストで死亡した。外国の王子や国王に嫁いでいたカレルの姉と娘の相次ぐ訃報は、カレルの宮廷に衝撃を与え、不安を呼び起こしたに違いない。そして、大きなペスト感染の津波が襲った一三八〇年には、第二代プラハ大司教にしてチェコ最初の枢機卿となったヴラシミのヤン・オチコがペストで死亡し、その甥の第三代プラハ大司教イェンシュテインのヤンも、同じ頃ペストに感染して死に瀕した。その後も、一三九四年には、カレルの娘でイングランド王リチャード二世に嫁いでいたアンナ(アン)がペストで死亡することになった。ペストは既にカレル四世の時代に暗い影を落としていたが、その息子ヴァーツラフ四世の時代にはより大きな脅威となったのである。

ところで、カレルと同様にチェコ王と神聖ローマ皇帝を兼ねた息子のヴァーツラフは、カレルとは気質の異なる人物だった。カレルと同様に数ヶ国語を操り、書物を好む教養人であったが、政治には熱心でなく、政治をなおざりにして狩猟や飲酒に耽ったりする「享楽的」な人間だったと言われる。「カレルの平和」の時代は、いわば「ヴァーツラフの不穏」の時代へと変わったのである。

ちょうどカレル四世が死去した一三七八年に、キリスト教会を揺るがす大事件が起こった。ローマとアヴィニョンに二人の教皇が並立し、教会大分裂（一三七八〜一四一七）が始まったのである。事に当たるべき、時の神聖ローマ皇帝ヴァーツラフ四世は、かつてアヴィニョンにいた教皇のローマへの帰還を一時的にせよ実現したカレルとは異なり、この事態を解決することができなかった。それどころか、高位聖職者たちもローマ派とアヴィニョン派に分かれて対立する中で、アヴィニョン派に近かったヴァーツラフは、確固たるローマ派だったプラハ大司教イェンシュテインのヤンと軋轢を起こし、一三八四年には彼をカルルシュテイン城に幽閉し、更に一三九三年には有名なヤン・ネポムツキー（?〜一三九三）の事件まで起こした。イェンシュテインのヤンの右腕だった大司教代理ヤン・ネポムツキーを拷問にかけて殺害し、プラハ橋（カレル橋）の上からヴルタヴァ川に投げ落としたのである。翌一三九四年には、チェコ王・神聖ローマ皇帝として屈辱的なことに、ヴァーツラフは同族の有力者などによって捕らえられて幽閉され、一四〇〇年にはついに皇帝を廃位されてしまった（一四〇三年にも、別の有力者などによって捕らえられて幽閉された）。

更には、チェコ王国内で既にカレルの時代から芽生えていた宗教改革的な潮流が、イギリスの宗教改革の先駆者ジョン・ウィクリフの影響を受けたヤン・フスの主導で勢いを増し、改革派（フス派）とカトリック派の対立が深まっていった。フスは一四〇〇年頃に司祭になって説教を始めたが、一四〇二年には改革派の拠点であったベツレヘム礼拝堂の説教師になって人々に大きな影響を与えた。また、一三九八年に母校プラハ大学の教授となり、一四〇一年には自由学芸学部（哲学部）長、一四〇九年には学長になった。フス派の拠点となったプラハ大学では、宗教的対立が民族的対立と相俟って激化したが、フス派に好意的であったヴァーツラフ四世は、一四〇九年にチェコ人のフス派に有利な「クトナー・ホラ勅令」[2]を出したため、カトリック派の外国人が大挙してプラハ大学を去ることになった。

ヴァーツラフ四世の異母弟で、彼に代わって神聖ローマ皇帝となっていたジギスムント（ジクムント）は、教会大分裂の解決のために一四一四年にコンスタンツ公会議を開催させたが、その際チェコのフス派の問題も審議されることになった。公会議に召喚されてコンスタンツに赴いたフスは、そこで異端を宣告され、翌一四一五年に火刑に処せられた。この暴挙に激怒したチェコのフス派がカトリック派と激しく衝突して国内が騒乱状態に陥る中で、ヴァーツラフ四世は一四一九年に——恐らくは卒中を起こして——急死してしまった。そして、強力な国王・皇帝カレル四世の時代、チェコ王国は軍隊に蹂躙されることなく「カレルの平和」を謳歌していたのとは反対に、王が不在のまま、「フス戦争」（一四一九～三六頃）と呼ばれる、長い戦乱の時代に突入することになる。

このようなカレル四世死後の不穏で不安定な時代、「ヴァーツラフの不穏」の時代に、あたかもそれとは裏腹のように――いや、恐らくはそれだからこそ――一四世紀末から一五世紀初頭のチェコで、チェコ・ゴシックの華とも言うべき、「美麗様式（美しい様式 krásný sloh）」[3]と呼ばれる注目すべき芸術様式が生まれた。小池寿子は、ルクセンブルク家時代のプラハについて、「当時はパリ、アヴィニョン、プラハを結ぶ三角形を巡るようにして、汎ヨーロッパ的に流布した美術が大輪の花を咲かせていた」[4]と述べているが、チェコの「美麗様式」は、いわゆる「国際ゴシック様式」（「国際様式」「国際ゴシック」）のチェコ的分枝と見なしうるもので、チェコは国際ゴシック様式の一つの中心地にもなったのである。しかし、その文字通り「美麗な（美しい）様式」は、美麗で（美しく）あるが故に、宗教改革の嵐の中で受難にさらされることにもなる。

## 二　「国際ゴシック様式」のチェコ的分枝としての「美麗様式」

チェコの「美麗様式」が、どのような源泉からどのようにして生まれてきたかについては諸説あるが、現在では、カレル四世の時代の「皇帝様式」から発展してきたと考える見方が優勢である。

アルベルト・クタルによれば、「美麗様式」は、一四世紀後半のチェコの主要な二つの芸術潮流――ペトル・パルレーシュの工房の潮流と、トシェボニの祭壇のマイスターを代表者とする潮流――の出会いから成長したものであり、チェコと恐らくはまたオーストリアの芸術を前提としつつも、西欧芸術との接触の影響もあってチェコで生まれた、「国際ゴシック様式」の特殊なチェコ的分枝である。それはまた、一四世紀前半と一三五〇年頃のチェコ芸術、とりわけヴィシシー・ブロトの祭壇のマイスターとも繋がっている[5]。

ヤロミール・ホモルカは、「美麗様式」の源流を、ペトル・パルレーシュの工房が制作した、プラハの聖ヴィート大聖堂聖ヴァーツラフ礼拝堂の聖ヴァーツラフ像に見ている。この像において既に、典型的に柔らかくてしなやかなコントラポスト、体形の緩いS字型への湾曲が始まっており、チェコの第一の守護聖人である聖ヴァーツラフの輪郭は繊細で、顔の全体的表情は言葉を発するきざしにおいて捉えられている[6]。

前述のように、カレル四世は一三七七年から七八年にか

図 3-1　《聖ヴァーツラフ像》（1370 年代、プラハ、聖ヴィート大聖堂聖ヴァーツラフ礼拝堂）

図 3-2　《聖ヴァーツラフ像》（レプリカ、プラハ、ラピダリウム）

けて、息子のヴァーツラフと多くの随行員を連れて最後のフランス訪問を行ったが、この時のチェコとフランスの貴顕たちの出会いが、「国際ゴシック様式」の発展の刺激にもなった。この時、神聖ローマ皇帝カレル四世および息子のヴァーツラフと、フランスにおけるその親族、即ちカレル四世の甥であるフランス王シャルル五世とその息子シャルル六世（一三六八～一四二二。仏王在位一三八〇～一四二二）、更にシャルル五世の弟であるベリー公ジャンとブルゴーニュ公フィリップなど、宮廷文化の代表者たち、当時の西欧における芸術作品の最大の寄贈者にして注文者たちが一堂に会した。彼らの相互的な繋がりが、「国際ゴシック様式」の時代におけるヨーロッパ芸術の特徴の一つである。[7]

また、一三八二年にカレル四世の娘でヴァーツラフ四世の妹であるアンナがイングランド王リチャード二世に嫁いだことで、チェコとイギリスとの間で芸術的交流も強まった。更に、ヴァーツラフ四世が一三九八年にフランスの宮廷を再び訪れたことを契機に、フランス芸術からの新たなインスピレーションの波が訪れた。[8]

ヴァーツラフはカレルと同様に芸術を愛好したが、それはカレルが好んだのとは異なる種類の芸術であった。そこには、ヨーロッパの宮廷と貴顕たちの社会において好まれていた紋章学や複雑な象徴的表現もあり、ヴァーツラフの時代にはエリート的な宮廷文化の知的必要が優先された。このような中で誕生した「美麗様式」は、一四世紀末から一五世紀初頭にかけて、造形芸術のすべての分野において中欧全体に広まった。[9]

ゲルハルト・シュミットによれば、「国際ゴシック様式」は、ヨーロッパにおける芸術創造の完全な統一には至らず、通例、ある作品をフランス、チェコ、ドイツ、イタリアそれぞれの作品に分類できるほどの様式的ヴァリアントがある。それに従って用語上も、通例フランスでは「宮廷様式」、チェコでは「美麗様式」、ドイツでは「柔和様式」、イタリアでは「国際ゴシック」と呼ばれる。[10]

チェコについて言えば、チェコは何よりもまず図像体系において創造的であった。チェコにおいて、生き生きとした身振りの裸の幼子イエスを抱いた聖母・マリアとその上衣の衣紋が特徴的な「美しい聖母（krásná madona）」（聖母子像）のプロトタイプと、息子の死ゆえのマリアの苦悩を、心を打つような、同時に崇高な仕方で表現した「美しいピエタ（krásná pieta）」のプロトタイプが生まれた。[11]

図 3-3　イェジェニのヤンの墓碑銘のマイスター《座る聖母》（1395 年、プラハの聖ヴィート大聖堂、プラハの国立美術館所蔵）

一四世紀末には、チェコの写本装飾・細密画（ミニアチュール）も非常に発展した。一三八〇年代からプラハはヨーロッパの写本装飾の最も重要な中心地の一つとなり、プラハには優れた写本画家・細密画家がたくさん集り、クレメンス七世のミサ典書のマイスターのように、プラハで修業してアヴィニョンの工房で働いた写本画家たちもいた。[12] 特に重要なのは、フェヒタのコンラートの聖書（アントウェルペンの聖書）のマイスターと、ハズムブルクのズビニェクの祈禱書のマイスターである。前者はイタリアとフランスの影響を受けたコスモポリタン的様式の代表者であり、後者は、例えばトシェボニの祭壇のマイスターやイェジェニのヤンの墓碑銘のマイスターのような、一四世紀末の多くの板絵画家たちにおいて既に「美麗様式」のレベルに達していたチェコのローカルな伝統から出ている。[13] トシェボニの祭壇のマイスターなどが作りだした「美麗様式」は、チェコの写本装飾にも大きな影響を与えたのである。[14] なお、イェジェニのヤンの墓碑銘のマイスターの《座る聖母》は、一三九五年五月一五日に死亡したことが分かっている聖ヴィート大聖堂参事会員イェジェニのヤンの墓碑銘の一部であり、板に「一三九五」という年も記されていることから、チェコの「美麗様式」の諸作品の年代推定にとっても重要な作品である。[15]

図 3-4　『ヴァーツラフ四世の聖書』（1389 年頃？、プラハ、オーストリア国立図書館所蔵）

ヴァーツラフ四世は愛書家で装飾写本を好んだが、ヴァーツラフ四世の時代にプラハで制作された装飾写本としては、特に六巻から成る見事な『ヴァーツラフ四世の聖書』（一三八九年頃？）が有名である。これは、プラハ旧市街の都市貴族マルティン・ロートレフの注文で旧約聖書がドイツ語に訳され、豪華な装飾を施されて、（もしかするとヴァーツラフ四世の結婚式の際に）ヴァーツラフに贈られたものである。[16] この大がかりな聖書の装飾には多くの画家が関わったが、そのうち二人——王の細密画家フラナ（Frana）とクトネル（Kuthner）——だけが署名を残している。[17] 知られているように、当時、書物は聖職者や学者や写字職人が羊皮紙や牛皮紙にペンで一字ずつ書き写すことでコピーが作られ、それに画家が細密画などの美しい装飾を施した一種の美術品にもなり、貴人への贈り物としても珍重された。

『ヴァーツラフ四世の聖書』は、カレル四世が聖書をラテン語から俗語に訳すことを異端的行為として一三六九年に禁止していたのとは対照的に、聖書の俗語・民族語訳を擁護する宗教改革的潮流に対するヴァーツラフ四世の共鳴を証している。[18]

## 三　トシェボニの祭壇のマイスター

チェコ絵画における「国際ゴシック様式」の代表的な画家が、トシェボニの祭壇のマイスターであり、この画家は、ヨーロッパの国際ゴシック様式の最も重要な画家の一人と見なされている。トシェボニの祭壇のマイスターの作品は、チェコの初期の「美麗様式」に強い影響を与え、その様式とモチーフは絵画から彫刻にまで広まった。

トシェボニの祭壇のマイスターの作品の特徴としては、聖人・聖女たちの繊細な輪郭、半ば非物質化し霊化して宙に浮きかけているような軽やかさ、聖女たちの若々しく美しく高貴な顔立ち、明るい肌色、流れるような衣紋、対角線構図を利用した巧みな画面構成、自然や建築物を取り入れた背景などが挙げられる。

本名の分からないこの画家は、チェコの大貴族ロジュムベルク家が支配していた南ボヘミア地方の町トシェボニの聖イリーと聖母マリア教会の一連の祭壇画（一三八〇年頃）を描いたため、この名で呼ばれている。この一連の祭壇画のうち、優雅な聖女たちの姿を描いた《聖カタリナ、マグダラのマリア、マルケータ》（図3-7）の聖カタリナ（向かって左端）には、《ロウドニツェの聖母》（一三八五～九〇年）（図3-8およびカバー）の聖母マリアとの類似性が見て取れる。

《ロウドニツェの聖母》は、北西ボヘミア地方の町ロウドニツェ・ナド・ラベムのアウグスチノ会修道院かプラハ大司教の別荘（ロウドニツェ城）にあったものとされる。この美しい作品は「美麗様式」の代表的な絵画であり、恩寵を与える（milostný）絵として崇敬され、《ブレスラウの聖母》などの模倣作や、多くの祈念像を生んだ。この絵において、聖母は黄金の王冠を戴いた天の女王として描かれ、青い聖衣を胸で留めた円盤状の黄金のフィブラ（衣服を留めるブローチ）の所には元々、聖遺物が入れられていたという。[19]

《聖バルボラ（巡礼礼拝堂から）の磔刑》（一三八〇年以降）（図3-9）は、一八世紀のヨーゼフの改革の際に廃止された、インドジフーフ・フラデツ近郊チェボリーン村近くの聖バルボラ巡礼礼拝堂にあったと言われる絵である。

《苦悩の聖母（悲しみの聖母）マリア》（一三八五～九〇年）（図3-10）は、クトナー・ホラ近郊の村ツィールクヴィツェの聖ヴァヴジネツ教会にあったと言われる絵だが、損傷が激しかったらしく、下部に描かれているキリストは後世の加筆だとする説が有力である。[20] イエスの死を描いたこの絵には、構図や聖母の顔や衣などにおいて、幼子イエス

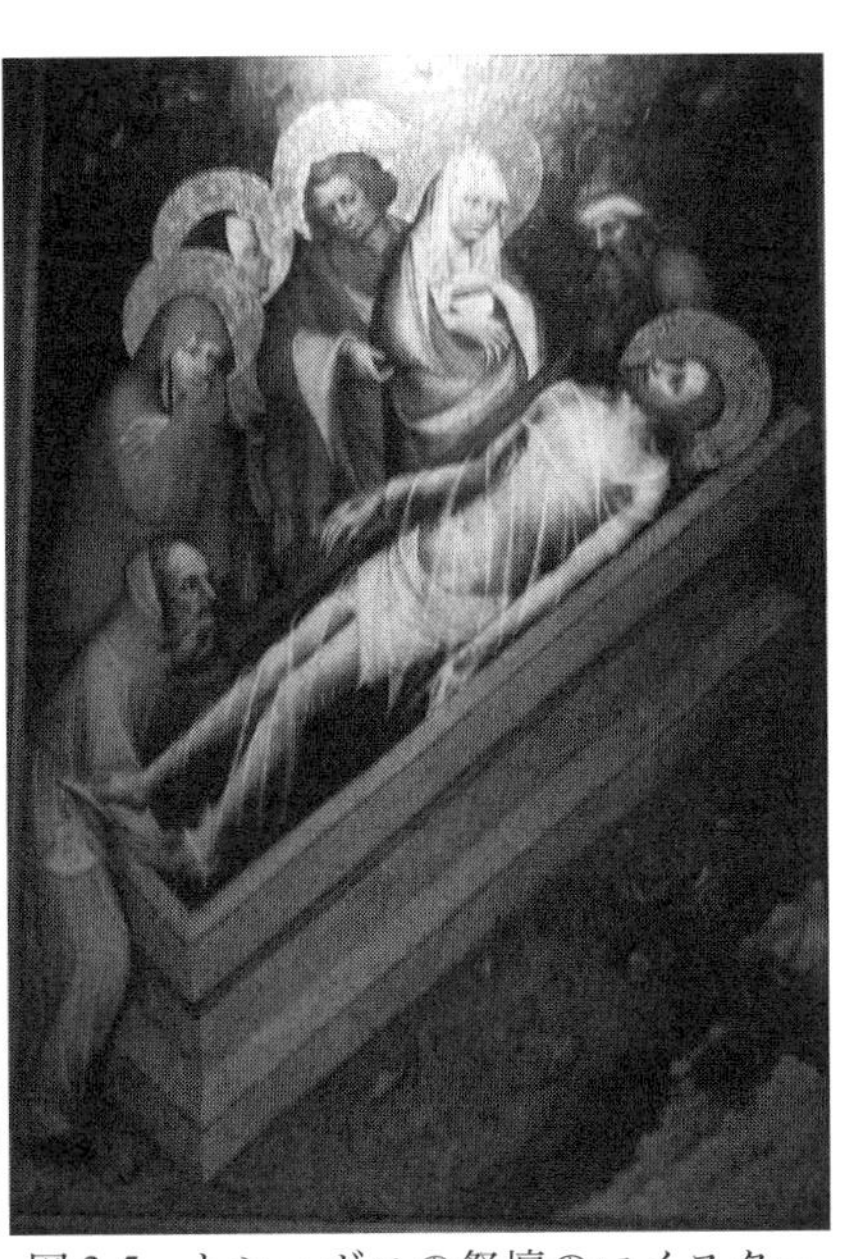

図3-5　トシェボニの祭壇のマイスター《キリストの埋葬》（1380年頃、トシェボニの聖イリーと聖母マリア教会の祭壇、プラハの国立美術館所蔵）

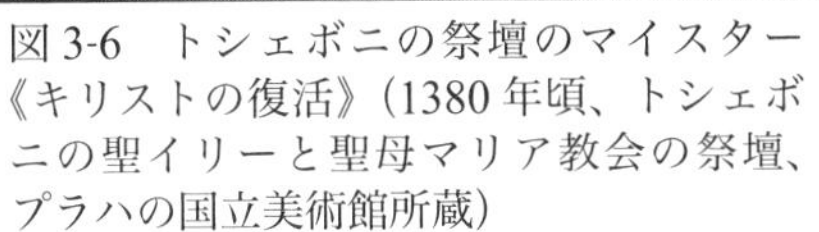

図3-6　トシェボニの祭壇のマイスター《キリストの復活》（1380年頃、トシェボニの聖イリーと聖母マリア教会の祭壇、プラハの国立美術館所蔵）

を抱く《ロウドニツェの聖母》（図3－8）との類似性が見て取れる。《キリストの埋葬》（図3－5）と同様に対角線構図を巧みに用いた《キリストの復活》（図3－6）においては、背景の自然物も特徴的である。

　このほか、トシェボニの祭壇のマイスターの工房が制作した、プラハの聖ヴィート大聖堂の《天の祭壇の聖母》（一三九〇年頃）[21]は、ローマの「天の祭壇の聖母マリア教会（サンタ・マリア・イン・アラチェーリ教会）」にあるビザンチン様式の聖母像の複製画だが、特徴的なことに、いかにもトシェボニの祭壇のマイスターらしい優雅な聖女たちの姿が、絵の枠に小さく描かれている。これは枠を人物像で飾った最初の例と言われ、このタイプの装飾はその後一五世紀前半にチェコで広まった。[22]ローマの《天の祭壇の聖母（アラチェーリの聖母）》の絵は、ペスト退散の成功のために崇敬されたと言われるもので、カレル四世がローマを訪れた時にその複製画を手に入れてプラハに持ち帰り、聖ヴィート大聖堂に奉納しているので、トシェボニの祭壇のマイスターの絵もそれを元にしていると考えられる。

　トシェボニの祭壇のマイスターの芸術の根がどこ

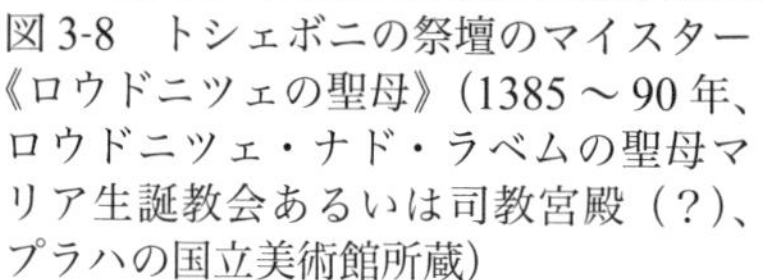
図3-8　トシェボニの祭壇のマイスター《ロウドニツェの聖母》（1385～90年、ロウドニツェ・ナド・ラベムの聖母マリア生誕教会あるいは司教宮殿（？）、プラハの国立美術館所蔵）

図3-7　トシェボニの祭壇のマイスター《聖カタリナ、マグダラのマリア、マルケータ》（1380年頃、トシェボニの聖イリーと聖母マリア教会の祭壇、プラハの国立美術館所蔵）

にあるのか、（フランコ・フラマン［フランス・フランドル］での修業を前提にして）チェコの伝統にあるのか、（北イタリアでの修業を前提にして）フランコ・フラマン派の伝統にあるのかについて、研究者たちの意見は分かれている。ヤン・ロイトは、トシェボニの祭壇のマイスターに関する詳細な研究書において、トシェボニの祭壇のマイスターは、カルルシュテイン城の装飾におけるマイスター・テオドリクとその他の芸術家たちの協働者であったと考えている。[23]

確かなことは分からないものの、そのように想定すると、カレル四世の宮廷画家となってカルルシュテイン城の《ルクセンブルク家の系図》を手がけたルクセンブルク家の系図のマイスター、その後にやはりカレル四世の宮廷画家となってカール大帝などの肖像画を手がけたマイスター・テオドリク、そしてトシェボニの祭壇のマイスターという、カレル四世のイニシアチブと刺激によって、外国の伝統を取り入れた芸術家から始まる連続的なチェコ・ゴシック絵画の流れを辿ることができるようになる。

図 3-9　トシェボニの祭壇のマイスター（の周辺）《聖バルボラ（巡礼礼拝堂から）の磔刑》（1380 年以降、インドジフーフ・フラデツ近郊チェボリーンの聖バルボラ教会、プラハの国立美術館所蔵）

図 3-10　トシェボニの祭壇のマイスター（の周辺）《苦悩の聖母（悲しみの聖母）マリア》（1385 ～ 90 年、クトナー・ホラ近郊ツィールクヴィツェの聖ヴァヴジネツ教会、プラハの国立美術館所蔵）

## 四　「美しい聖母」と「美しいピエタ」

一四世紀末から一五世紀初頭にかけて形成された「美麗様式」の芸術家たちが特に取り上げた重要なテーマが、聖母像（聖母子像）とピエタであった。[24]「美麗様式」のピエタは特に「美しいピエタ（krásná pieta）」と呼ばれるが、「美しいピエタ」はヨーロッパ各地で知られるようになり、プラハで制作された像がかなり遠くまで運ばれた。[25]いわば「メイド・イン・プラハ」の「美しいピエタ」が、一種のブランド品のようになって珍重されたと考えられるのである。

一般にゴシック時代には、聖母マリアに献げられた大聖堂とも結びついた聖母マリア崇敬が盛んになるが、その崇敬の広がりと共に、聖母像――聖母子像と、それと対極的なピエタ――が盛んに制作されるようになる。聖母像には様々なものがあり、その多様性もゴシックの多様性の一つと言えよう。

磔刑死して十字架から下ろされたイエスを膝に抱く聖母を形象化したピエタは、元々、十字架から下ろされたイエスを聖母が抱いて悲しむ「聖母の嘆き」、あるいは、聖母がヨハネやマグダラのマリアなど他の人物たちと共にイエ

図3-12 《ラーセニツェのピエタ》(14世紀後半、インドジフーフ・フラデツ近郊ラーセニツェの礼拝堂、プラハの国立美術館所蔵)

図3-11 ジェブラークの《キリストの哀悼》のマイスター《キリストの哀悼》(1500～10年頃、プラハ、プラハの国立美術館所蔵［プラハ市博物館からの借り物。制作はチェスケー・ブジェヨヴィツェと推定］)

スの死を悼み弔う埋葬の場面を造形した《キリストの哀悼》(図3‐11)から、聖母とイエスの二人が独立してくることで生じたものと考えられている。

ピエタは、贖い主としてのイエスの犠牲や苦しみと、我が子を犠牲にすることによって人類の贖罪に共同参加した聖母の苦悩を強調するものである。そして、死んだイエスの静かな表情とは対照的な聖母の表情は、絶望的な悲嘆から静かな諦念まで、様々な悲しみの表情で描かれる。[26] この点で、ピエタにおける聖母の表情や身振りは、その制作者や時代の解釈と精神を表すものと言えよう。

第二章で述べたように、チェコの場合、熱心な聖遺物崇敬者であったカレル四世がプラハの聖ヴィート大聖堂に奉納した聖母マリアの聖遺物などが聖母のイメージに影響を与え、プラハの工房では多くの聖母像、とりわけピエタが制作された。そして、ドイツの《レットゲンのピエタ》(一三〇〇～二五年頃[27])のような、非常にグロテスクな聖母を伴う初期のピエタとは異なり、チェコでは非常に特徴的なことに、美少女の聖母を伴うピエタも現れるようになる。中でも《クシヴァークのピエタ》(一三九〇～一四〇〇年頃?)(図3‐14および口絵)は、実年齢にそぐわない――つまりキリストの死の時点での聖母としては若すぎる――初々しく清らかな少女のイメージとその繊細な表現を伴いつつも、聖母が無残にもイエスの血にまみれ、自らも血の混じった涙を流すというグロテスクさもある、注目すべき作品である。

ところで、中世のピエタは、キリストと聖母マリアの姿勢によって、以下のように、大きく三つの類型に大別される（ただし中間的形態もある[28]）。

第一は「垂直型」、第二は「水平型」、第三は「美麗様式型」（対角線型ないし斜め型）である。

第一の「垂直型」（図３－12参照）の特徴は、記念碑的な形態、実物より大きい尺度、苦悩の表出性などである。個々の特徴として挙げられるのは、キリストの強く弓なりに反った胸部、それと著しく対照的な窪んだ腹部などである。キリストの顔は彫りが深くて、末期の苦しみに歪んでおり、聖母マリアは年取った女性として造形されていて、

図 3-13　《イフラヴァの聖大ヤクプ教会のピエタ》（1330 年頃、イフラヴァ、聖大ヤクプ教会）

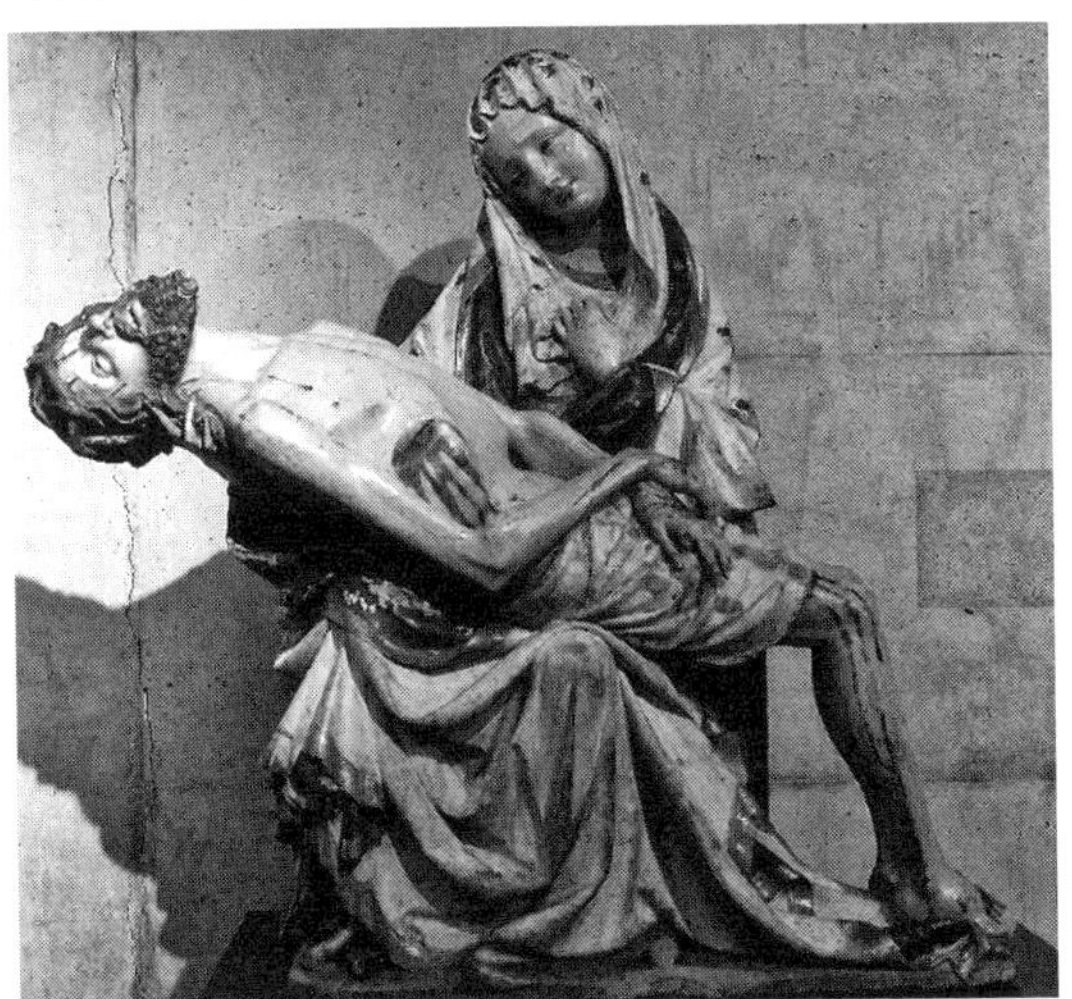

図 3-14　《クシヴァークのピエタ》（1390 ～ 1400 年頃？、オロモウツ、大司教区博物館所蔵〔制作はプラハと推定〕）

その顔は悲しげな渋面となっている。キリストの体は二度直角に折れ曲がり、構成全体が非常に厳しい印象を与える。有名なものとしては、前述の《レットゲンのピエタ》や、それより新しく、キリストの体位がもう少し斜めになっている《イフラヴァの聖大ヤクプ教会のピエタ》（図3-13）などが挙げられる。

第二の「水平型」は、恐らく一三七〇年代に生まれたもので、その特徴は自然法則の部分的な認知であり、それは何よりもまず、聖母マリアの膝の上に置かれたキリストの体が重力によって水平に近くなっていることに表れている。また、聖母とキリストの表情はより自然なものとなり、聖母の顔の歪みも女性の自然な泣き顔になっている。聖母は年取った女性ではないが、決して若くも美しくもない。ブルノの聖トマーシュ教会のピエタ（一三七〇年代）[29]などが、この類型に属する。

第三の「美麗様式型」（対角線型ないし斜め型）の特徴は、この時代の聖母像（聖母子像）と同様に、聖母マリアの若さと美しさである。聖母の理想的な美しさと対照的に、キリストの苛まれた体が際立っており、その体は斜めになって著しく突き出ている。ここで重要な役割を果たしているのは聖母の衣紋であり、それは特に膝より下の下部で多くの皿状の襞とカスケードに分かれていて、群像全体の広い基礎を成している。いずれもプラハで制作されたと考えられている《クシヴァークのピエタ》（図3-14）や《ゼーオン（修道院）のピエタ》（バイエルン国立博物館所蔵[30]）などがこの類型に属する。

ヤロミール・ホモルカは、第二の「水平型」のピエタと第三の「美麗様式型」のピエタとの基本的な相違を、次のように説明している。「美麗様式型」のピエタは、この場面の元々の歴史的性格――つまり、キリストの磔刑時には聖母マリアは既に年取った女性になっていたといった、実際の歴史的時間の中の出来事としての性格――を考慮しない。その像は時間的関係から全く引き出されていて、完全に象徴的な領域に移されている。ここでマリアは苦悩の聖母（悲しみの聖母）ではなく、乙女のように純粋で美しいキリストの花嫁である。ここでは、個人的な経験に対して、個人を超えた象徴的な世界と秩序が蘇っていて、芸術作品は秩序の具現なのである。[31]

ところで、マリエ・チトヴルニーコヴァーが指摘しているように、ピエタは、若い聖母が幼子イエスを抱く聖母子像と相関関係にあり、聖母が幼子イエスを膝に抱いている聖母子像と同様の姿勢で、聖母がキリストの遺体を支えているピエタもある。そのようなピエタでは、大人として死んだはずの息子の体は聖母に比べて異様に小さく、聖母が

死んだ息子を自分の方へ抱きしめようとする身振りは、小さい子供を膝に抱いて自分の体へ押し込もうとするかのような印象を与える。ここで、死んだ息子を膝に乗せたマリアは、あたかもキリスト降誕の際に感じた自分のかつての喜びを思い出しているかのようである。また逆に、聖母子像の中には、「水平型」のピエタと同様の姿勢で、聖母が膝の上に眠る幼子イエスを乗せていて、あたかも既に磔刑後の別離を想うかのように悲しげな表情をしているものもある。そもそも、聖母がキリストを膝の上に乗せて抱くのは、キリストが幼児だった時と死の時であり、ピエタはこのようにして、キリストの犠牲の最初と最後の象徴的意味を含んでいるのである。[32]

　このことは、ヴィシシー・ブロトの祭壇のマイスターが一三五〇年頃に描いた九枚の連作祭壇画のうちの《キリスト降誕》（図3-15）と《キリストの哀悼》（図3-16）にも見て取れる。この二枚の絵は、聖母が膝に乗せた我が子の頬を自分の頬に押しつけている構図において共通している。ヤロミール・ホモルカによれば、この《キリスト降誕》の聖母は喜びの聖母ではなく悲しみの聖母であり、既に降誕において、来たるべき我が子の苦難と死と、自らの――人類の贖罪への共同参加者としての――使命を意識しているのである。[33]

　ピエタは絵画や彫刻において一三世紀末から一四世紀初頭にヨーロッパ全体に広まるが、「垂直型」のピエタに対して、「水平型」（あるいは「斜め型」）のピエタが、特に一三七〇～八〇年代にプラハのペトル・パルレーシュの工房で盛んに制作されるようになる。プラハは「国際ゴシック様

図3-15　ヴィシシー・ブロトの祭壇のマイスター《ヴィシシー・ブロトの祭壇の連作画》より《キリスト降誕》（1350年頃、ヴィシシー・ブロトの聖母被昇天修道院教会、プラハの国立美術館所蔵）

図3-16　ヴィシシー・ブロトの祭壇のマイスター《ヴィシシー・ブロトの祭壇の連作画》より《キリストの哀悼》（1350年頃、ヴィシシー・ブロトの聖母被昇天修道院教会、プラハの国立美術館所蔵）

式」の中心地の一つになるが、一四〇〇年頃に頂点に達する「国際ゴシック様式」のチェコ的ヴァリアントにおいて、聖母は魅惑的な表情と優美な姿勢を特徴とする「美麗様式」の聖母像になる。その際重要なことは、それまでのピエタにおいて中年女性として造形されていた聖母が、「美麗様式」においては、この様式の他の聖母像や聖女像と同様に魅力的な表情をしたうら若い女性として造形されるようになったことである。[34]

そのような「美麗様式」の聖母——ヴィシシー・ブロトの祭壇のマイスターの《磔刑》（一三五〇年頃）（図3-22）の聖母はまだ若くない——の誕生には、第三代プラハ大司教イェンシュテインのヤンが決定的な役割を果たしたと考えられている。

プラハの市民階級から貴族身分になったイェンシュテイン家出身のヤンは、プラハ、パドヴァ、ボローニャ、モンペリエ、パリで学んで非常に高い教養を身につけた文化人であり、宗教的な内容の多くの詩と聖歌の作者でもあった。彼はパリ大学教授になる予定だったが、プラハに呼び戻され、既にカレル四世によって高位に就けられ、二〇代の若さでドイツのマイセン司教、更に三〇歳そこそこでプラハ大司教となり、尚書局長にも任命された。彼は多方面で活躍したが、特に聖母マリア崇敬を高めることに貢献し、チェコにおける「美麗様式」、とりわけ「美しい聖母」の成立に影響を与えた。教会大分裂と宗教改革の時代に教会の再統一と改革に努めた彼は、熱心な聖母マリア崇敬者であり、聖母マリア御訪問祭の導入に尽力してそれを実現し、聖母マリアの美しさをヴィーナスの美しさに比する詩も書いている。[35]

イェンシュテインのヤンは美術の価値と機能を良く理解し、一三八〇年以前に、プラハの大司教宮殿の礼拝堂の壁に、自らの幻視あるいは啓示を絵に描かせた。それらの絵は残っていないが、教会大分裂とアンチキリストの到来の危険を警告する絵は、一四二〇年代にフス派革命が現実のものとした予言的な幻視の証拠と見なされたという。[36]

前述のように、一三八〇年頃にチェコを襲った大きなペスト感染の津波に飲み込まれて、第二代プラハ大司教にして枢機卿ヴラシミのヤン・オチコが一三八〇年に死亡し、イェンシュテインのヤンも死に瀕した。しかし彼は奇跡的に回復し、深い内面的転換を経験して、禁欲主義と神秘主義に傾斜した。彼は死に瀕する中、聖母に祈って助力を求めていたが、この奇跡的な回復を聖母の助力によるものとして感謝した。彼はまた、教会大分裂の解消のための努力が成功しないことに失望して、その矯正は人間の力では及ばず、聖母の助力によるほかなく、聖母マリア崇敬の強化によって成功するだろうと考えるようになった。そして聖母マリアを、若く、更生し、統一され、勝利した教会と同一視した。彼は聖母マリア御訪問祭の普及に絵画を利用したが、その際、彼の思想が美術に影響を与えることになった。一三八五〜九〇年の間に制作されたと考えられる《ロウドニツェの聖母》（図3－8）の注文者もイェンシュテインのヤンであった可能性があり、彼は祈りの際にこの《ロウドニツェの聖母》にペストからの奇跡的な回復を感謝していたとも言われる。[37]《ロウドニツェの聖母》があったと言われるロウドニツェ・ナド・ラベムの町には、プラハ大司教の別邸（ロウドニツェ城）があった。また、イェンシュテインのヤンの友人で彼の助任司祭でもあり、後にイェンシュテインのヤンの伝記（Vita domini Joannis, Pragensis archiepiscopi tertii)（一五世紀初頭）を書くことになる、ロウドニツェ・ナド・ラベムのアウグスチノ会修道院長ペトル・クラリフィカートル（？〜一四〇六以後）もいた。この修道院は、イェンシュテインのヤンもペトル・クラリフィカートルも共に加わった敬虔主義的な「新しき信心（devotio moderna)」運動のチェコにおける中心地であった。そのため、イェンシュテインのヤンはしばしばこの町に滞在し、晩年にヴァーツラフ四世との争いが高じてローマに落ち延びる前にも、一時この町に避難していた。[38]

イェンシュテインのヤンは宗教生活の改革においてアウグスチノ修道参事会に依拠しようとしたが、この会の新しくて重要な修道院がロジュムベルク家によって一族の修道院としてトシェボニに造られた。[39]この修道院付属の聖イリーと聖母マリア教会が、前述のように、トシェボニの祭

図 3-17　トシェボニの祭壇のマイスター関係図

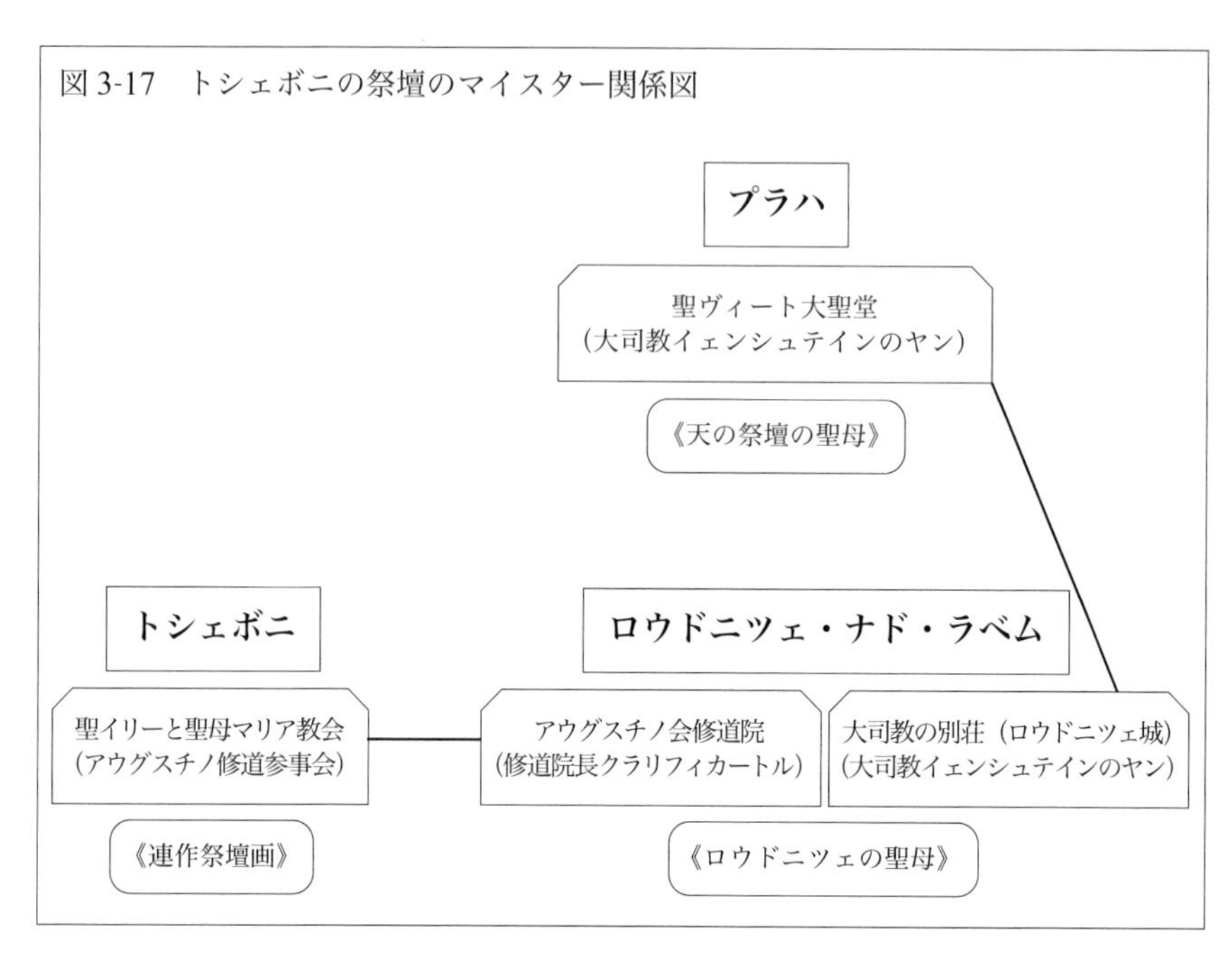


壇のマイスターが連作祭壇画を描いた教会堂である。この画家の作品は、このトシェボニと、イェンシュテインのヤンと縁の深かったロウドニツェ・ナド・ラベムのほか、プラハの聖ヴィート大聖堂にも残っていたことから、この画家はイェンシュテインのヤンの援助のもとに仕事をしていたと考える研究者たちもいる。[40]

ところで、ヤン・ロイトによれば、イェンシュテインのヤンの美学は、プラトン主義的な基礎を持っている。プラトンが『パイドロス』で述べている、真の美は神的な起源のものであるという考えは、更に、プラトン主義の影響を受けたアウグスティヌスや偽ディオニュシオスといった神学者によって発展させられたが、イェンシュテインのヤンは改革的なアウグスティヌス主義に非常に近く、偽ディオニュシオスの著作を好んで読んでいた。[41]

イェンシュテインのヤンには、内省、神秘的瞑想、修道院的理想へ向かう傾向があったが、これらはすべてトシェボニの祭壇のマイスターの瞑想的な世界と合致する。そして、感覚的な美は精神的な美の反映であるという彼の美学は、トシェボニの祭壇のマイスターの、かなり理想化され、同時に感覚的に豊かで、精神化された人物たちと照応する。イェンシュテインのヤンは、芸術作品は感覚を超えた神的なものを視覚的に近づけ、更には現在化させることができ、本来描写不可能なものを描き出すことができると信じていた。そこで中心的な位置を占めるのは、理想化され、階層的に等級化された感覚的な美という概念であり、そのような美は、理想化によって人間の尺度を超え、同時に感覚を超えた世界を指示するものであるとした[42]。

ヤロミール・ホモルカによれば、カレル四世の死後、記念碑的で国家演出的な作品の注文が止まり、ヴァーツラフ四世がむしろ私的な生活に閉じこもるようになった時期に、前面に出てきたのがプラハ大司教イェンシュテインのヤンであり、彼はカレルの宮廷芸術の中心であった聖ヴィート大聖堂の更なる建設と装飾を、実質的に自ら指揮した。彼はカレルの伝統と政治の後継者を自任し、活発な政治活動と宣伝活動を展開した。ここで特別な位置を占めたのが、聖母マリア崇敬であった。既に初代プラハ大司教パルドゥビツェのアルノシュトは聖母マリア崇敬を発展させたが、第三代プラハ大司教イェンシュテインのヤンは、プラハ大司教たちの聖母マリア崇敬の完成者であった[43]。

イェンシュテインのヤンは、聖母マリアを永遠に若くて美しい少女として造形すべきことを強調したが、彼によれば、その若さと美しさは、聖母が象徴している教会の純粋さと生命と同様に、決して消え去ることはないのである。こうして、聖母マリア崇敬は、教会の内的再統一を目指す、一定の対抗宗教改革的な戦略と努力になりえたのである[44]。

ところで、広域的な調査によれば、《クシヴァークのピエタ》に酷似した作品は《ゼーオン（修道院）のピエタ》しか見つかっていないが、恐らくプラハで制作されたと考えられる、類似した「美しいピエタ」は、両者を含めて約二〇知られている[45]。それらはチェコ、ドイツ、オーストリア、スイス、ルーマニア、ポーランドという広域に広がっており、それは（カレル四世の出身王朝である）ルクセンブルク家のかつての支配地に重なるという。更に、プラハで制作されたピエタから影響を受けたと思われるピエタは、スロヴェニア、イタリア、スペインにも見られるという[46]。ゴシック時代のプラハが神聖ローマ帝国の首都として発展したことの意味の大きさを、側面から物語る事実とも言えるだろう。

このように、一三七〇〜一四〇〇年頃の間に、様式的に似た多くのピエタが制作されたが、シュテファン・ロラーによれば、比較できる質的レベルを持つ現存するピエタの中で、《クシヴァークのピエタ》に最も近いのは《ゼーオンのピエタ》である。両者に共通するのは聖母の姿勢であり、聖母は、膝の上のイエスの遺骸を右手で支え、悲しみの身振りとして、左手を胸の上の衣に置いている。しかしながら、《ゼーオンのピエタ》においてキリストの背部が聖母の両膝の上にあってバランスを取って支えられているのに対して、《クシヴァークのピエタ》においては聖母はイエスの体を左の膝だけに乗せ、右手でイエスの頭を下から支え、顔をかなり低く傾けて、不安定な姿勢をしている。ロラーは、《クシヴァークのピエタ》に近い《ヴロツワフのピエタ》[47]は美学的に最も魅力的だが《クシヴァークのピエタ》は構図の上で最も大胆だとしているが、[48]《ヴロツワフのピエタ》の聖母は《クシヴァークのピエタ》の聖母ほど美しい少女ではないということは、重要な相違として指摘しておく必要があるだろう。

ちなみに、現在ポーランドに属するシレジア（シロンスク）地方の町ヴロツワフ（チェコ語ではヴラチスフラ）は、ゴシック時代にはチェコ王国に属していて、「美麗様式」の彫刻の中心地の一つであり、特に《ヴロツワフのピエタ》や《ヴロツワフの聖母》[49]などで知られていた。ピエタの方は、惜しむらくは第二次世界大戦中に破壊されて、現在は残骸だけになっている。

図3-18《シュテルムベルクの聖母》（1380～90年頃、オロモウツ近郊バビツェ、プラハの国立美術館所蔵）

《クシヴァークのピエタ》の聖母が、実年齢にそぐわないほど若い美少女だという特徴は、例えば先に挙げた《イフラヴァの聖大ヤクプ教会のピエタ》（図3-13）と比較すると、対照的に際立つであろう。後者においては、聖母マリアはもう年老いていて、美しくもないが、威厳に満ちていて、しかもイエスの体に比べると異様に大きい。それに対して《クシヴァークのピエタ》は、うら若く美しい「キリストの花嫁」という趣きに変わっている（マリアの白い衣は花嫁衣装とも受け取れる）。そしてこの「美しいピエタ」のタイプの作品において、うら若く美しい聖母が微かな笑みさえ浮かべているように見えることがあるのは、かつて幼子であった我が子を膝に抱いていた時を思い出しているからだという解釈や、キリストの死という悲劇的な瞬間において聖母が既にキリストの復活と救済に由来する喜びを予見していたからだという解釈もある。[50]

ゲルハルト・シュミットによれば、チェ

図3-21　《クルムロフの聖母》(1390〜1400年頃、チェスキー・クルムロフ［制作はプラハ］、プラハの国立美術館所蔵)

図3-19　《トルニの聖母》(1390年頃、ポーランドのトルニの聖ヤン教会［制作はプラハ？］、ナチスに奪い去られたまま行方不明)

図3-20　《トルニの聖母》(1390年頃) 横顔

コの「美麗様式」の絵画の重要な特徴としては、衣紋と襞の形態が挙げられる。最も重要な人物たちの体は、ゆったりとした服の複雑な襞の中に包まれている。その衣紋は観者に、量感のある皿形の襞を見せる。そしてそれは、脇から管形の垂直の襞の束に伴われ、柔らかな縁取りの波線がうねる。[51] このような特徴は、絵画だけでなく、《シュテルムベルクの聖母》(図3-18)、《トルニの聖母》(図3-19)、《クルムロフの聖母》(図3-21)のような、一四世紀末に制作された彫刻にも見られる。[52]

確かに、裸の幼子イエスを抱く「美しい聖母」の彫刻は、動きを含むコントラポスト、豊かな衣紋、チェコ的な広い額とすらりと通った鼻筋の美しい卵形の顔、アーモンド状の眼、金色の波打つ髪などを特徴とし、ヤロミール・ホモルカが言うように、地上的な現実を超えた天上的な領域へと高められているように見える。[53]

なお、「美しい聖母」の彫刻の最も美しい作例の一つである《トルニの聖母》（図3－19）は、恐らくはプラハで制作されてポーランドのトルニの聖ヤン教会にあったものだが、惜しむらくは第二次大戦中にナチスに奪い去られたまま行方不明になってしまった（現在はレプリカだけがある）。この横顔（図3－20）は、《ロウドニツェの聖母》（図3－8）の横顔と似ていて、両者の間には繋がりがあったことが窺える。

ゲルハルト・シュミットはチェコの「美麗様式」の特徴をいろいろと挙げているが、特に次の点には注目すべきであろう。即ち、「劇的な状況や強い感情を表現する際の明らかな抑制。制作者たちは感情表現的な身振りを抑制するか、むしろそれを避ける。苦悩や絶望はそのようにして静かなメランコリーと神の意志への謙虚な服従に変わる。あるいは、酷たらしい情景が、チェコでは驚くほど穏やかな雰囲気に引き込まれる」。こうして、チェコの「美麗様式」は、地上的な現実を、並外れて繊細で理想化された形態へと転換する芸術的語法として表れているのである[54]。

ペスト禍に加えて、一四世紀末から一五世紀初頭くらいの時期に、教会の権威は教会大分裂によって弱められ、更にヤン・フスの宗教改革的な思想によって疑問視された。宗教的な軋轢に社会的な問題と民族的な問題が加わり、それは最終的にフス戦争へと至った。シュミットによれば、このように世情は不安定で、時代は激動の歴史に突入する前夜であったが、チェコの芸術家たちとその注文者たちは、キリストの受難や殉教者たちの苦悩を何よりもまず人類の救いの保証として見た。即ち、それらは単に敬虔な共苦の機会であるだけでなく、喜ばしい信頼の機会でもあった。このようにして、美しい聖母たちは、威厳よりもむしろ魅力を持っており、当時の画家たちは劇的なエピソードを明るい色調で描いた。「美麗様式」の諸作品は、まさにその魅力と形態の調和のために、周囲の世界を支配していた精神的不穏に対する薬と見なされていたように思われるのである[55]。

## 五　「血痕聖衣の美しいピエタ」──「血痕聖衣の聖母」と「美しい聖母」の交差

《クシヴァークのピエタ》のようなチェコの「美しいピエタ」の大きな特徴として、聖母がうら若い美少女として造形されているということと並んで、聖母の衣がイエス・キリストの血にまみれているという血痕聖衣のモチーフがある。ミハル・シュロニェクによれば、このモチーフはチェコに特有なものであり、他国においてこのモチーフを用いた作例はごく僅かで、しかもそれらは一四世紀後半のチェコの作品に影響を受けたものだと考えられる。[56] この血痕聖衣のモチーフは、一体どこから来たのであろうか？

第二章で述べたように、聖遺物崇敬が盛んであったゴシック時代に、聖遺物の収集に熱心であったカレル四世がプラハの聖ヴィート大聖堂に奉納した第一級の聖遺物の中に、聖母マリアの血痕聖衣があったが、これが直接的な影響を与えたのだと考えられる。聖母が血痕聖衣をまとっているヴィシシー・ブロトの祭壇のマイスターの《磔刑》（図3－22）が一三五〇年頃に描かれていることは、その傍証になりうる。

更に、美術における聖母の血痕聖衣には、中世の宗教的文献が影響を与えた可能性がある。中世の宗教的文献は聖母マリア崇敬の広まりに重要な役割を果たしたが、それらの文献において、一三世紀以降、我が子イエス・キリストの苦悩（受難）を共にする聖母マリアの痛み・共苦（共同受難）（compassio）というモチーフが発展した。血痕聖衣のモチーフは、ドイツ語で「Rheinisches Marienlob（ラインのマリア賛歌）」と呼ばれる、一三世紀前半の幾つかの作品に出て来るが、このモチーフが出て来る作品のうち最も人気があったのは、聖アンセルムス（一〇三三〜一一〇九）がラテン語で書いたと言われ、一四世紀にしばしばドイツ語とチェコ語に訳された『主の受難についての聖母マリアと聖アンセルムスの対話（Dialogus beatae Mariae et Anselmi de passione Domini）』という著作であった。[57]

この聖アンセルムスの著作は、イエス・キリストの磔刑の目撃者である聖母マリアが聖アンセルムスに磔刑の過程を語るという神秘主義的な著作なのだが、そこに、「聖母マリアは、その地の女性たちが被せた衣を身に付け、それで自分の頭と体の全体を覆った。その衣に、愛する我が子の手と足から出た血を付けた」（傍点引用者）という一節があるのである。[58] この記述は、ヴィシシー・ブロトの祭壇のマイスターの《磔刑》の構図とも合致する。

ヤロミール・ホモルカは、血痕聖衣という第一級の聖遺物と、それに関係したカレル四世の努力が、宮廷周辺の絵画制作において、より古いこの聖アンセルムスの著作をアクチュアルなものとし、そのことも絵画における血痕聖衣のモチーフに影響を与えたと推測している。このモチーフは、聖母マリアをキリストの使命の積極的な参加者とする「共苦・共同受難（compassio）」を強調するものである。[59]

ミハル・シュロニェクによれば、中世チェコ美術において血痕聖衣が描かれている、現存の最も古い例は、一三三〇年代に聖ヴィート大聖堂のために制作された『テッサウリと呼ばれるインドジフのミサ典書』の中の絵である。この絵においては、十字架の下に立つ聖母マリアが、自分の

頭から垂れる長衣を下から両手で前に突き出し、それでキリストの脇腹の傷口から滴り落ちる血を意図的に受けているという。しかしながら、それは聖体拝領的な意味を込めた例外的な構図であり、その後の図像では、血の付いた衣を頭に被って、ぐったりした聖母という、より穏健で、「共苦」を示す構図が定着した。[60]

図3-22　ヴィシシー・ブロトの祭壇のマイスター《ヴィシシー・ブロトの祭壇の連作画》より《磔刑》（1350年頃、ヴィシシー・ブロトの聖母被昇天修道院教会、プラハの国立美術館所蔵）

そして、板絵において初めてこのモチーフが用いられたのは、ヴィシシー・ブロトの祭壇のマイスターの《磔刑》においてであり、そこでは、それまでの聖母の青い衣に替わって、赤い血を強調する（青い衣の上に重ね着した）白い衣も現れている。この絵から、一四世紀半ば以降、血痕聖衣という新しいモチーフがチェコ絵画に広がり始め、その後それが彫刻——とりわけピエタ——にも広がった。しかしながら、後述のように、フス派が聖遺物崇敬を否定し、血痕聖衣の真正さをも否定するようになると、このモチーフも下火になり、一五世紀末には消えた。したがって、血痕聖衣を描いた絵画や彫刻は、一四世紀中葉から一五世紀末までのチェコ美術にほぼ限定されたものなのである。[61]

小さな画像では見分けにくいが、ヴィシシー・ブロトの祭壇のマイスターの《磔刑》において、確かに聖母はその白い被り物に、十字架上のイエスの脇腹や右手から噴き出る血を浴びている。また、トシェボニの祭壇のマイスターの《キリストの埋葬》（一三八〇年頃）（図3-5）においても、聖母の白い被り物には血が付いているし、《聖バルボラ（巡礼礼拝堂から）の磔刑》（一三八〇年以後）（図3-9）では、聖母の青い長衣に、キリストの右手から滴り落ちる血が付いている。トシェボニの祭壇のマイスターの《天の祭壇の聖母》（一三九〇年頃）は、前述のように、ローマの「天の祭壇の聖母マリア教会（サンタ・マリア・イン・アラチェーリ教会）」にある聖母像の複製画だが、実は重要な相違点があり、トシェボニの祭壇のマイスターの作品においては聖母の青い衣が血痕聖衣に変わっているのである。

　これらの絵においては、聖母の衣に付いた血痕は少なくて小さいのでそれほど目立たないが、《クシヴァークのピエタ》において血痕は多くて大きく、もっと目立ち、それだけこの情景の酷たらしさが強調されている。《クシヴァークのピエタ》の、聖母が右手で死んだイエスの首を下から支え、左手を自分の胸に当てている深い共苦・慈愛の身振りも、新しいモチーフであった。

　さて、チェコ特有の「血痕聖衣の美しいピエタ」の誕生に至る流れは、恐らく次のように整理することができるだろう（表一参照）。

表一、「血痕聖衣の聖母」と「美しい聖母」の交差としての「血痕聖衣の美しいピエタ」の誕生

（一三四七／四八年）ペスト感染の波のヨーロッパ到来
（一三四九年）カレル四世の姉イトカ（ボンヌ）と娘マルケータのペストによる死

1.「血痕聖衣の聖母」の誕生
（一三五〇～六〇年代）
①カレル四世が聖ヴィート大聖堂に奉納した聖母マリアの血痕聖衣の聖遺物の直接的影響
②『主の受難についての聖母マリアと聖アンセルムスの対話』の間接的影響
↓「血痕聖衣」のモチーフの導入
作例：《ヴィシシー・ブロトの祭壇の連作画》の《磔刑》（図3－22）（一三五〇年頃）

2.「美しい聖母」の誕生
（一三七八年～）教会大分裂
③イェンシュテインのヤンの聖母崇敬の影響（聖母の助力による教会の再統一という思想）
（一三八〇年頃）ペストの津波の到来
④イェンシュテインのヤンのペスト感染・瀕死・奇跡的な回復と内面的転換の影響（教会の象徴としての永遠に若くて美しい聖母という思想）
↓「美しい聖母」のイメージの形成
作例：（絵画）《ロウドニツェの聖母》（一三八五～

九〇年）（図3－8）、《座る聖母》（一三九五年）（図3－3）
（彫刻）《シュテルムベルクの聖母》（一三八〇～一九〇年頃）（図3－18）、《トルニの聖母》（一三九〇年頃）（図3－19・20）、《クルムロフの聖母》（一三九〇～一四〇〇年頃）（図3－21）

3．「血痕聖衣の美しいピエタ」の誕生
（一三九〇年頃～）「血痕聖衣の聖母」と「美しい聖母」の交差
↓「血痕聖衣の美しいピエタ」
　作例：《クシヴァークのピエタ》（一三九〇～一四〇〇年頃？）（図3－14・口絵）（聖衣の血痕と聖母の若さの強調）
　《ゼーオン（修道院）のピエタ》（一三九〇～一四〇〇年頃）
　《イフラヴァの聖イグナティウス・デ・ロヨラ教会のピエタ》（一四〇〇年頃[62]）
（一三九〇年頃）《天の祭壇の聖母》（ローマでペスト退散の成功のために崇敬された絵の複製画）
（一三九四年）カレル四世の娘アンナのペストによる死

恐らくは、ペストがヨーロッパに到来して、カレル四世の姉イトカと娘マルケータがペストで死んだ後に、①カレル四世が聖ヴィート大聖堂に奉納した聖母マリアの血痕聖衣の聖遺物の直接的な影響と、②『主の受難についての聖母マリアと聖アンセルムスの対話』という宗教的文献の間接的な影響のもとに、まずヴィシシー・ブロトの祭壇のマイスターの《磔刑》（一三五〇年頃）において、十字架の下に立つ聖母がイエス・キリストの体から噴き出す血を浴びるというモチーフが導入され、それが広まった。トシェボニの祭壇のマイスターの《キリストの埋葬》（一三八〇年頃）（図3－5）や《聖バルボラ（巡礼礼拝堂から）の磔刑》（一三八〇年頃以降）（図3－9）でも、「美しい聖母」の衣は血痕聖衣になっている。十字架から下ろされたイエス・キリストの遺骸を聖母が抱くという、「磔刑」の後に来るべき「ピエタ」においても聖母の衣が血痕聖衣になるのは、自然の成り行きであろう。

　次に、教会大分裂とペストの津波の到来という二つの大きな出来事の中で、③④ペストに感染して奇跡的に回復した、熱心な聖母マリア崇敬者であったイェンシュテインのヤンの影響のもとに、教会の象徴としての永遠に若くて「美しい聖母」のイメージが作られ、聖母マリアがうら若い美少女として造形されるようになった。

そして、「血痕聖衣の聖母」と「美しい聖母」の交差――血痕聖衣と美少女という二つの要素の交差――の上に、酷たらしさと悲しみ、共苦と優しさ、そして永遠の若さと美しさを併せ持つ《クシヴァークのピエタ》のような、チェコ特有の「血痕聖衣の美しいピエタ」が誕生したのだと考えられる。そして恐らく、一三四七年頃にヨーロッパに到来して王族や枢機卿・大司教の命までも奪ったペストへの怖れが、人々の意識の底に底流のように流れていて、それも隠然たる影響を与えたであろう。

## 六　チェコの宗教改革とゴシック美術

宗教改革はいわゆる「偶像破壊」「文化破壊」を行って、多数の宗教画・宗教彫刻や教会堂そのものを破壊したことでも知られているが、ヨーロッパの他の諸国に先駆けて宗教改革的運動が広がったチェコにおいても、そのような破壊が行われた。そしてその際まさに「美麗様式」の諸作品が、矢面に立たされたのである。皮肉なことに、「美麗様式」の美しい作品は、女性の身体的な美しさや、一般に外面的・感覚的な美しさに目と心を奪われて肝心の宗教的真実を忘れさせるものだと非難されて、急進フス派によって、特に一四二〇年前後の時期に壊されたり隠されたりした。

知られているように、宗教的権力と政治的権力が並立していたカトリック世界では、「叙任権闘争」などから両者の対立が深まって、一三〇三年にいわゆる「アナーニ事件」が起こり、ローマ教皇がフランス王によって捕らえられ、一三〇八年には教皇庁がフランスのアヴィニョンに移されてしまった（教皇のバビロン捕囚、あるいはアヴィニョン捕囚）。神聖ローマ皇帝カレル四世の努力によって、一三七七年にグレゴリウス一一世（在位一三七〇～七八）が教皇庁をアヴィニョンからローマに戻したものの、彼は翌一三七八年に死んでしまった。同年ローマで新しい教皇が選ばれたが、アヴィニョンにも別の教皇が出て、「教会大分裂」が始まったのである。実は、プラハ大司教イェンシュテインのヤンとチェコ王・神聖ローマ皇帝ヴァーツラフ四世の対立にも宗教的権力と政治的権力の対立と前者の弱体化が反映していたが、結局、ヴァーツラフ四世との闘いに敗れたイェンシュテインのヤンは、尚書局長の職を解かれ、プラハ大司教も辞任せざるをえなくなり、逃げるようにしてローマに赴き、異郷の地で無産と失意のうちに没したという。

このようなカトリック教会全体の混乱と権威の低下の中で、チェコの教会でも聖職売買や贖宥状（免罪符）の販売などに対する批判が起こり、宗教改革的潮流が既にカレル四世の時代に生まれていた。更に、前述のように、一三八二年にカレル四世の娘アンナがイングランド王リチャード二世に嫁いだことで、チェコとイギリスの交流が深まり、それ以前からチェコでも知られていた宗教改革の先駆者でオックスフォード大学教授ジョン・ウィクリフの思想が更にチェコに広まることになった。

　チェコでは既にヤン・フス以前に、コンラート・ヴァルトハウゼル（一三二六?～六九）、クロムニェジーシュのヤン・ミリーチ（?～一三七四）、ヤノフのマチェイ（一三五五以前～九三）などが改革的思想を唱えていた。

　そして実は、カレル四世はこのような改革的な思想に、ある程度の理解を示していた。一三六〇年代初め頃から、教会の歳入優先主義と徳性の低下によって引き起こされた危機の徴候が現れ始めたが、カレル四世はそのような状況を意識していて、一三五九年のマインツでの帝国議会において、教会の高位聖職者に矯正を訴え、「不適切な聖職者たちからは財産を没収する」と脅しさえした。ローマ教皇はこの非難を拒否し、教皇の問題に介入しないように求めた。このような中、カレル四世はヴァルトハウゼルやミリーチなどの改革的な説教師たちに共鳴したのである。[63]

　ヴァルトハウゼルは元々オーストリアの説教師であり、一三六二年にプラハにやって来て、チェコの宗教改革の精神的父の一人となった。最初は聖ハヴェル教会で、一三六五年からはティーン教会で説教を行って声望を博し、カレル四世の好意も得て、皇帝の助任司祭にもなった。聖職売買や司祭の浪費的生活に対する批判で幾つかの修道会と対立したが、当時の教皇は彼を擁護した。[64]

　また、カレル四世に近い高位聖職者の中にも、宗教改革的潮流に対して寛容な者たちがいた。

　第二代プラハ大司教ヴラシミのヤン・オチコも改革派の思想に理解を示し、ヴァルトハウゼルやミリーチなどがプラハで改革的思想を説くことを認めた。[65]

　また、前述の神学者イェジョフのヴォイチェフ・ラニクーフは、一三三九年から聖ヴィート大聖堂の司教座聖堂参事会員となったが、改革的思想に共鳴し、ミリーチと親交を結び、ヴァルトハウゼルと文通した。彼は改革派のトマーシュ・シュチートヌィー（一三三三頃～一四〇一／〇九）を擁護した後、異端者として告発されたため、アヴィニョンの教皇庁で自己弁護をしなければならなくなった。彼はカレル四世の不興も買ったが、弟子であったイェンシュテインのヤンの口添えでカレルと和解し、一三七五年から再びプラハで説教師として活動した。前述のように、カレルの葬儀に際しては弔辞を読む名誉に恵まれ、故人を「祖国の父」と称えた。[66]

前述のように、ラニクーフの弟子であり、第三代プラハ大司教となったイェンシュテインのヤンは、感覚的な美を精神的な美の表れと捉えて、「美麗様式」の成立に影響を与えたと考えられるが、そのような感覚的な美と、宮廷などで好まれていた紋章学や複雑な象徴的表現などの理解しがたさは、間もなく改革派の攻撃の的になった。

それでは改革派は、宗教的な建築や美術に対して、どのような態度を取ったのであろうか？

ヴァルトハウゼルやミリーチは、何よりもまず教皇庁の歳入優先主義を批判して、宗教生活の深化を呼びかけたが、批判の矛先は、教会内の豪華な装飾や、理解しにくいテーマや、更には宗教的空間における絵画や彫刻の存在自体にも向けられた。

一四世紀後半には、宗教的空間における絵画や彫刻の役割について矛盾した見解が存在した。一三八八年のプラハの教区会議では、人々は聖像画に向かって祈り、その奇跡的な力を信じるべきことが定められ、聖像画や聖遺物崇敬に反対する説教が禁止されたが、他方で同じ一三八八年に、改革派であるヤノフのマチェイは、「旧約と新約の規則(Regulae Veteris et Novi Testamenti)」という著作の中で次のように述べている。

> 教会は、悪魔に対する警戒心がある時にだけ、絵で飾られるべし。しかしながら私は臆せずに主張するが、教会の中で蠟燭を捧げたり跪いたりするといったやり方で、ある絵が他の絵よりも崇敬されるや否や、それは悪行として、すぐに教会から取り除かれなければならない。更に、もしもある像に何らかのしるしを認めるならば、その像は壊されなければならない。なぜなら、そこで悪魔が人々を欺き、イエス・キリストの体と血への崇敬を汚そうとしている、という懸念があるからだ。大きなしるしや奇跡は、それによってむしろ信者たちを欺くために、サタンがその狡猾さによってキリストの名において起こすのである。[67]

また、人々に大きな影響を与えた最大の改革者ヤン・フスは、チェコ語で執筆した「十戒の解釈」において、次のように述べている。

> 美しい像や絵があると、すべての考えをその美しさに向け、その美しさにおいて想像と愉悦に耽って、画家が美しく描いたり彫ったりしたと褒め、そして、**主キリストが忌まわしくも卑しめられ拷問にかけられて**

> 殺されたということを忘れてしまう。その他の聖人たちについても同様だ。そして、ある男たちは、実際の体よりも美しく描かれている、聖なる乙女たちの美しい像を見て、悪しき想いと衝動を抱き、誘惑に陥る。
> （傍点引用者）[68]

つまりフスによれば、美しい聖母や聖女たちは、宗教的な真実から外面的な美へと心を逸らすだけでなく、かえって罪を誘発しさえするというのである。このようにフスは、まさに「美麗様式」の作品のように、美しくて魅力的な聖母や聖女たちの絵画や彫刻の制作に警告を発したのである。

しかしながらフスは、絵画や彫刻を全面的に否定しているわけではなく、問題は本質的なものを忘れて外面的な美にのみ耽ることだとして、すぐに続けて次のようにも述べている。

> しかしだからと言って、像は退けられるべきではない［……］。像は、ある者たちにとっては悪いものとなり、別の者たちにとっては良いものとなる。ちょうど、キリストの体が、良い者によって生命として受け入れられ、悪い者によって死として受け入れられ、ある者たちにとっては永遠の生命となり、別の者たちにとっては呪いとなるように——もっぱら天上的なものへと高められるためだけにではなく、傲りやその他の罪から像を作る者たちにとってのように。
>
> 同じ事を私は、人々を天上的なものの記憶と聖なる想いへと導くための本についても言う。それ故に、本を金銀で飾る者は、その飾りを聖書よりも好むのだ。[69]

より過激な偶像破壊的思想は、ヤノフのマチェイ、カプリツェのヤクプ・マチェイ（?～?）、ストシーブロのヤコウベク（?～一四二九）、ペトル（ピーター）・ペイン（一三八五頃～一四五六）、ドレスデンのミクラーシュ（?～一四一七）などによって表明された。[70]

絵画に強く反対した最初の者たちの一人が、先にも言及したヤノフのマチェイであった。彼によれば、絵画は死んで生命のない「物」であり、それらを通して神が奇跡を起こすなどと信じてはならない。彼はまた、聖女をありのままに崇敬するのではなく、接触する美女として崇め、自分の心の中に外部の絵や彫刻に対応する偶像を作ってそれに跪く者たちがいる、と批判した。彼は、はびこった絵画崇拝を人間のちっぽけな作り事、あるいは更にアンチキリストそのものの贈り物とさえ見なしていた。単純な人々は絵画への崇敬によってキリストへの真の信仰から逸らされ、教会の豪華な装飾に注意を払う修道士たちは、修道会の規則を放棄しているのだという。そして彼は、人々が不適切に崇めるような絵画は撤去すべしという、急進的な改革思想さえ述べた。[71]

このように改革派は、宗教的空間にふさわしくないテーマや、絵画の奇跡的な力への迷信的信仰や、芸術作品の不適切な「世俗的」形態（「美麗様式」）に対して批判の矛先を向けた。急進的な偶像破壊主義者たちは、恐らくは急進派のヤン・ジェリフスキー（一三八〇〜一四二二）の煽動で、一四二一年七月二一日に聖ヴィート大聖堂の施設・備品を破壊した。また、急進派であるターボル派の司祭たちも、徹底した偶像破壊主義者であった。[72]

しかしながら、偶像破壊は社会全体の支配的現象であったわけではなく、改革派の中でも「偶像」あるいは芸術作品に対する態度には違いがあり、温度差があった。先に挙げたフスの言葉からも分かるように、穏健派は俗人にとっての絵画の意義を全面的に否定したわけではなく、価値の高い絵画や手稿や聖遺物を偶像破壊から守るために「疎開」させることもあった。[73] フス戦争の時代にも、特に穏健派が芸術作品の注文者となっていたプラハや、大貴族であるロジュムベルク家が支配していた南ボヘミアの領地においては、芸術創造の連続性が完全に断ち切られたわけではなかった。カトリック派の皇帝ジギスムント（ジクムント）に忠実だったモラヴィア地方やシレジア地方などでは偶像破壊は起こらず、それどころか、特にシレジアでは反フス派的な絵画による布教が展開された。[74]

概してフス戦争の時代には、ボヘミア地方——それほどではないがモラヴィア地方とシレジア地方でも——とヨーロッパの重要な中心地（フランコ・フラマン地域）との芸術的接触が部分的に断ち切られ、芸術制作の低下と「美麗様式」の沈滞に陥った。その反面、フス派が優勢であったボヘミア地方では、図像はしばしば改革的思想のメディアの役割を果たし、新しいフス派的図像体系も生まれた。[75] 聖職者と同様に俗人も、パンだけでなく葡萄酒も用いた「両形色」による聖体拝領を行うべきことを主張したフス派にとって、（葡萄酒を入れる）聖杯の図像や、軍旗に描かれたフスの図像などが、重要なシンボルとなった。[76]

聖遺物崇敬とそれと関係する美術について付言すると、フス派は聖遺物崇敬を否定し、聖遺物への巡礼や聖遺物展観の参加者に対する贖宥を否定し、聖遺物そのものを破壊しさえした。チェコのゴシック芸術において重要な役割を果たした血痕聖衣については、その聖遺物としての（奇跡を起こす）「魔力」を否定しただけでなく、神学的にも否定した。一四三五年にチェコ議会によってプラハ大司教に選ばれたフス派の大物である神学者ヤン・ロキツァナ（一三九六～一四七一）は、一四五〇年代に書いた『説教集』において、聖母マリアの衣に付いた血を否定し、「(復活によって)主は、ご自分の血のうち何もこの世に残されなかったのだ。父なる神はキリストを全体として、四肢すべてと、キリストから流れ出た血のすべてと共に蘇らせたのだ。［……］キリストは常に、受難の前と同じで欠けるところのないままでおられるのだ」と主張している。[77] つまり、イエス・キリストは血も含めてすべて復活して昇天したので、地上には何も――一滴の血たりとも――残っていないはずだと言うのである。

フス派の図像には血痕聖衣は例外的なものを除いて現れず、カトリックの図像にのみ現れていたが、血痕聖衣を巡ってフス派とカトリックとの間に論争が繰り広げられるうちに血痕聖衣のモチーフは下火になり、一五世紀末頃にはもはや現れなくなった。[78]

## 七　祈りと美の結合

カレル四世の統治からヴァーツラフ四世の統治へと移行すると、時代の性格と共に芸術の性格も大きく変化した。この変化について、アルベルト・クタルは次のように述べている。「一四世紀末の彫刻に特徴的な、記念碑性の減少と内密性の増加は、芸術が被った社会的機能の深い変化の徴候である」。カレル橋の旧市街橋塔や聖ヴィート大聖堂のトリフォリウムなどに付けられた君主たちや守護聖人たちの肖像などは皆、国家王朝と国民の思想の代表者たちであった。「しかしながら今や、像は、公的な建物にきれいに陳列された場所から、人々が個人的な悩みを抱えて像に会いに来る祭壇や礼拝堂の内密の薄闇の中へと移動した。前の時代には大きな役割を果たしていて、宗教的なテーマに完全に優っていた世俗的なテーマ（特に肖像）が、像のレパートリーからほとんど消えたというのは、顕著な現象である」[79]。

カレル四世時代のマイスター・テオドリクが制作した君主たちの記念碑的な肖像画とは異なり、ヴァーツラフ四世時代のトシェボニの祭壇のマイスターが制作した《ロウドニツェの聖母》などの宗教画は、人間の心の中の内密の想いに関係する、主に祈りのための祈念像であった。

前述のように、熱心な聖母マリア崇敬者であったプラハ大司教イェンシュテインのヤンは、ペスト感染によって死に瀕したものの、聖母に祈って回復し、それを祈りの中で聖母に感謝した。そして、教会大分裂によって生じた危機を世界が脱するには聖母の助力に縋るほかないと考えた。

そのような彼は、聖母マリア崇敬を広めようとして、聖母マリア御訪問祭の導入を実現し、キリスト教会の純粋さと生命を象徴する聖母は決して消え去ることのない若さと美しさを持つ美少女として造形されるべきだとした。

恐らくはこの第三代プラハ大司教イェンシュテインのヤンの影響とイニシアチブのもとに、国際ゴシック様式のチェコ的分枝と言える「美麗様式」を代表する絵画である《ロウドニツェの聖母》などの「美しい聖母」が制作され、それはチェコの「美麗様式」の「美しいピエタ」を代表する彫刻である《クシヴァークのピエタ》にも繋がった。チェコ的タイプの「美しい聖母」の代表的な作例である《ロウドニツェの聖母》と《クシヴァークのピエタ》の間には、聖母の卵形の顔、アーモンド状の眼（まなこ）、ほっそりした鼻筋、柔和な顎、魅力的な唇の形、垂れ下がる衣の襞などの共通性が見られる。

これら「美麗様式」の聖母においては祈りと美が結合しており、その美は必ずしも享楽的なものではない。《ロウドニツェの聖母》のような「美しい聖母」は、カレル四世死後の不穏で不安定な時代に闇に沈みそうになる人々の心に、慰謝と希望の光を注ぎ入れたに違いない。そして、このようなチェコの「美麗様式」の優れた諸作品は、カレル四世の時代から神聖ローマ帝国の首都になったプラハを中心として、チェコにおいて国際交流が盛んになり文化が興隆してきたこそ、生まれえたものなのである。

ところで、ホイジンガは『中世の秋』において、「一五世紀という時代におけるほど、人びとの心に死の思想が重くのしかぶさり、強烈な印象を与え続けた時代はなかった」[80]と述べている。この時代、死が人間の精神をいかに襲ったか、人間が死の絶望にいかに苦しんだかということは、ちょうど「美麗様式」が広まった時期の一四〇〇年頃に書かれた中世チェコ・ドイツ語文学の傑作『ボヘミアの農夫』が見事に示している。この作品においては、非の打ち所のない愛妻を突然の「死」に奪われた男が、（擬人化された）「死」に対する訴えを起こして「死」と論争を繰り広げ、自らの苦悩・絶望・不条理を切々と訴え、最後に神が裁きを下すのである（この作品については、次章で詳しく論じる）。

考えてみれば、最愛の存在を不条理な死によって奪われた人間の痛ましい運命と内面の激しい苦悩を表現しているという点で、《クシヴァークのピエタ》と『ボヘミアの農夫』には通底するものがあると言えるだろう。一方は最愛の息子（あるいは花婿）を奪われたうら若い女性（花嫁）であり、他方は最愛の妻を奪われた夫であるというように、立場が逆転しているにせよ。そして、《クシヴァークのピエタ》

のうら若い聖母が、あたかも我が子（花婿）と共に血を流したかのように痛々しげに血にまみれているのと同様に、『ボヘミアの農夫』の夫の心は、あたかも我が妻と共に流した血にまみれているかのように痛々しい。まさに愛と死は、芸術の最大かつ永遠のテーマなのだ。自分が死ぬことは、自分の愛する者も含めてこの世のすべてを失うことに等しく、他方、自分の愛する者を喪うことは、きれい事が吹き飛び、この世の秩序が根底から揺らぐようなことであろう。愛と死は不可避的に結びついているのであり、愛は死への不安を呼び起こし（図3‐15）、死は愛を苛む（図3‐14）。自分の愛する者の死（受難）は、愛する自分の受苦（共同受難）にならざるをえない。

　感覚的な美は精神的な美の反映であるというプラハ大司教イエンシュテインのヤンの美学は理解できるし、その美学に通じるトシェボニの祭壇のマイスターの理想化された「美しい聖母」は魅力的で、人を惹きつける。他方、そのような理想化された精神的な美が表れているはずの「美人画」が、人々の想いを感覚的な美へと向け、感覚的な美の享楽を刺激し、イエス・キリストが忌まわしくも卑しめられ酷たらしく殺されたというキリスト教の根本的な真実を忘れさせてしまうという、ヤン・フスなどの警告も理解できる。

　ゴシック時代に盛んに制作されるようになるピエタの彫刻において、初めのうち、聖母は決して若くはなく、また死んだイエス・キリストを膝に抱く苦悩に満ちた聖母は決して「美人」として造形されてはいなかった。チェコの「美麗様式」の作品において聖母を美少女として造形した《クシヴァークのピエタ》のような「美しいピエタ」は、型破りなものであったに違いない。《クシヴァークのピエタ》と並ぶ「美しいピエタ」の傑作である《ヴロツワフのピエタ》と比較しても、後者の聖母はより年配であり、美しいとは言い難いような悲しい渋面をしている。それに対して前者においては、聖母の顔に表れた悲しみさえもが美しいのである。そして、イエンシュテインのヤンが述べたように、感覚的な美は精神的な美の反映であるとすれば、ここには、不条理な受難をいかに受けとめるかということに関して、精神的な変化が生じているのかもしれない。

　聖母マリアのイメージは、聖母子像とピエタの違いを超えて、幼子イエスを抱くか磔刑死したイエスを抱くかの違いはあれ、また心に喜びを抱くか悲しみを抱くかの違いはあれ、もはや実年齢に関わらず、内面の美しさの反映である感覚的な美しさを備え、変わらぬ慈愛を湛えた永遠なる「乙女（処女）マリア（Maria Virgo）」のイメージに近づいたのだと言えよう。

## 八 《クシヴァークのピエタ》とミケランジェロの《ピエタ》――ゴシックとルネサンス

後のルネサンス時代、まだ二〇代前半の若さで静謐なピエタ[81]（一四九八～一五〇〇年）を創造し、静かな悲哀の表情を湛えた、うら若く美しい女性として聖母を造形したイタリア・ルネサンスの巨匠ミケランジェロ（一四七五～一五六四）は、果たしてそれ以前に「美しいピエタ」を目にしたことがなかっただろうか？　それは分からないにしても、《クシヴァークのピエタ》のような「美しいピエタ」は、ミケランジェロ初期のあのピエタの遠い――百年を隔てた――予告になっていると言えるかもしれない。いずれにせよ、若々しい聖母を伴うピエタはミケランジェロ以前にはなかったということが美術史上の「常識」のように語られることがあるが、それは実は誤りなのである。

だが、ミケランジェロのルネサンス的なピエタとは異なり、《クシヴァークのピエタ》にはゴシック的なグロテスクさと酷たらしさがある。《クシヴァークのピエタ》において、教会の象徴でありキリストの花嫁であると想定される美少女としての聖母マリアは、同時に血にまみれ、苦悩に満ちており、殺された我が子イエス・キリストと、その受難の忌まわしさや酷たらしさを身をもって共有し表しており、キリストの磔刑死に代表されるような忌まわしく酷たらしい受難と共同受難には、何人も――精神的な美を兼ね備えた美少女としての聖母でさえも――直面せざるをえないことを暗示しており、それ故になおさらこの作品は印象的なものになっていると言えるのではなかろうか？　つまりこの作品は、何人も逃れられない死と不幸の不可避性と普遍性を、人の心に強く訴えかける表出的・表現主義的な様式で示していると言えるのではなかろうか？　そして、ヤン・フスの「美しい像や絵があると、すべての考えをその美しさに向け［……］、主キリストが忌まわしくも卑しめられ拷問にかけられて殺されたということを忘れてしまう」という批判は、少なくともこの作品には当てはまらないのではなかろうか？　《クシヴァークのピエタ》は、忌まわしさ・酷たらしさと、それを補うような美しさ・優しさが微妙なバランスを取り、むしろ後者が前者をより印象的に示しているゴシック彫刻だと言えるのではなかろうか？　「中世のグロテスクは神聖なものに対立したり、そこから逸らしたりするものではなく、恐らくは逆に、神聖なものへの接近の形態の一つである。それは神聖なものを冒瀆すると同時にそれを確認するのである[82]」というグレーヴィチの言葉は、ここにも当てはまるように思われる。

また、イエス・キリストは流した血も含めて復活したので、マリアの衣に血が残っていることはありえないというフス派の批判は、血痕聖衣の聖遺物の真正さを否定することになったとしても、復活前の情景を造形したピエタや磔刑図には当てはまらない。したがって、血痕聖衣の聖母の図像が消えていったのは、神学的な理由――フス派の批判のせい――だけではなく、主として美学的な理由からではなかろうか？　つまり、血まみれの情景をグロテスクで「野蛮」なものと感じる、新しいルネサンス的な美学の影響ではなかろうか？　逆に言えば、ゴシック的な目から見れば、酷たらしい傷跡も目立たなければ血まみれでもなく、グロテスクさを排除したミケランジェロのルネサンス的なピエタは、きれいすぎるのではなかろうか？

なお、制作者の分からないこの作品の《クシヴァークのピエタ》という名前は、オロモウツの聖堂参事会員にして聖ヴァーツラフ大聖堂付きの司教代理も務めたペトル・クシヴァーク（一八八五～一九五三）に由来する。彼は宗教美術作品の収集に努めて、このピエタを一九五一年にオロモウツの聖ヴァーツラフ大聖堂に奉納したのである。このピエタは、長期にわたる緻密な調査と修復作業の末、二〇一四年に蘇った、チェコ・ゴシック彫刻の知られざる傑作である。

# 第四章　チェコ・ゴシックの文学と音楽

## ——多言語状況の中でのチェコ語文学とチェコ音楽——

## 一　ゴシック時代のチェコの多言語状況

中世のチェコ、とりわけプラハの文化の特徴の一つとして、複数の言語・文化圏の重なり、即ち複数の言語・文化の混在・融合と葛藤・競合が挙げられる。この特徴は長きにわたって——時代によって程度の差こそあれ、恐らくは第二次世界大戦によってチェコ人、ドイツ人、ユダヤ人の共生が破壊されるまで——続いた。

カレル四世が数ヶ国語を操り、自らもラテン語で自伝や聖ヴァーツラフ伝などを著したことにも示されているように、中世には読み書きのできない民衆が多数であった中で、少数の教養ある上層階級は通例ポリグロットであった。そして、主にチェコ系、ドイツ系、ユダヤ系の住民が共存していた中世のチェコでは、多言語状況が常態であった。

チェコ語で書かれた文学はちょうどゴシック時代の一三〇〇年頃に始まったが、チェコ語文学に限らず、ヨーロッパの諸民族語文学は、主として中世ヨーロッパ共通の文語であったラテン語に堪能でラテン語文学の素養のある者たちが俗語・地域語・民族語で書いたものであり、そこには当然のことながら、ある程度「汎ヨーロッパ」的、「超民族」的な「ヨーロッパ文学」としての基盤・共通性・連続性があった。

チェコという土地で書かれた**領域的なチェコ文学**には、古教会スラヴ語文学、ラテン語文学、ドイツ語文学、チェコ語文学、ヘブライ語文学といった、異なる言語で書かれた複数の文学があった（ただし古教会スラヴ語文学はチェコでは比較的早い時期に衰退した）。それらのうち、ユダヤ人のかなり孤立的な伝統に属するヘブライ語文学以外の諸言語文学の間には、異なる言語で書かれていても、互いの間に（別の言語で書かれた先行作品の翻案であるといった）共通性や継続性があり、場合によっては（別の言語で書かれた先行作品に応答したり、それに対抗するといった）応答や対抗の関係があった。古教会スラヴ語とラテン語とチェコ語で書かれた『聖ヴァーツラフ伝』にも、ラテン語とドイツ語とチェコ語で書かれた『アレクサンドレイス（あるいはアレクサンドレイダ）』（アレクサンドロス大王物語）にも、ドイツ語で書かれた『ボヘミアの農夫（Der Ackermann aus Böhmen）』（一四〇〇年?）とチェコ語で書かれた『織匠（しょくしょう）（Tkadleček）』（一四〇七年?）にも、そのことが当てはまる。領域的なチェコ文学のラテン語・ドイツ語・チェコ語という三言語的環境は、その後長く続くことになり、二言語ないし三言語で執筆する者たちもいた。

ところで、チェコ語文学が誕生した一三〇〇年頃と言えば、イタリアではダンテが、まだ多分にゴシック的な作品ではあるものの、大作『神曲』（一三〇七～二一年頃）をラテン語ではなくて俗語のイタリア語（トスカナ語）で執筆し始めた頃である。更に、ペトラルカが『カンツォニエーレ』（歌の本、抒情詩集）（一三三〇年以降）を、ボッカッチオが『デカメロン』（一三四八～五三年）を、それぞれイタリア語で書き始めたのは、一四世紀前半である。つまり、チェコのゴシック時代にチェコ語文学が誕生した頃、イタリアは既にルネサンス時代に入りつつあったわけである。第二章でも述べたように、カレル四世はイタリアとも関係が深く、ペトラルカなどのイタリアの人文主義者たちもプラハのカレルの宮廷を訪れていることから、当然、チェコ文化に対するイタリア・ルネサンスの影響も考えられる。カレル四世時代のチェコ文化の興隆の一因としてその影響を挙げることもできるであろうし、カレル時代のチェコ文化を「プレ人文主義」「プロト人文主義」「前人文主義」などと捉える見方もある。[1] しかしながら、この時代のチェコ文化はまだキリスト教会やスコラ学の強い影響下にあった。人文主義的なチェコ語文学が本格的に現れるのは、フス運動と宗教戦争で遅れたこともあり、一五世紀末になってからであった。

チェコでは文語としての古教会スラヴ語が廃れた後、ラテン語とドイツ語で文学が書かれていたが、チェコ語で書かれた作品は、ちょうどゴシック時代の一三世紀末から一四世紀初頭にかけて、まるで突如のように、叙事詩・年代記・聖人伝などとして現れ始めた。そしてそれは、先述したヴァーツラフ三世の暗殺を始めとする大きな政治的、社会的、文化的変化と、大いに関わりがある。[2]

チェコでは一二世紀後半からドイツ人が農村部に入植し始めたが、一三世紀中葉には都市部にも入植し始め、チェコの宮廷と貴族はドイツ文化の影響をますます強く受けるようになってきた。チェコの民族王朝であるプシェミスル家の王たちは、いわゆるミンネゼンガー（宮廷歌人）のパトロンとなってドイツ語での文学創造を援助し、それに続いてチェコの貴族たちも彼らのパトロンとなり、ドイツ語の詩創作は貴族の宮殿にも広がった。ヴァーツラフ一世の統治の初めからプシェミスル家の断絶まで、即ち一二三〇年から一三〇六年までが、チェコにおけるドイツ語詩の黄金時代とされる。[3]

ヴァーツラフ一世の孫であるヴァーツラフ二世は、恐らくはミンネゼンガーの影響のもとに自らもドイツ語の恋愛詩を作り、その三編の詩が残っている。[4] チューリッヒのマネッセ家の注文で制作され、一四〇人もの代表的なミンネゼンガーの詩を集め、一三七枚もの全頁大の細密画を加え

たアンソロジー『マネッセ写本（Codex Manesse）』（あるいは『大ハイデルベルク歌謡写本（Große Heidelberger Liederhandschrift）』）（一三〇〇～四〇年頃）にはヴァーツラフ二世の詩も収められ、詩人や楽師たちを従えたヴァーツラフ二世の細密画（図4‐1）も含まれている。[5]

しかしながら、ヴァーツラフ二世の息子ヴァーツラフ三世が一三〇六年に僅か一六歳で暗殺されて、チェコの由緒あるプシェミスル家が断絶してしまい、その政治的空白に付け入って、経済力を持つドイツ人市民（都市貴族）が国家転覆を謀って政治権力を奪取しようとした後、状況が一変した。既に一三世紀中葉に、力を増したドイツ人の廷臣・聖職者・市民への反感からチェコ人の貴族・聖職者の間で民族意識が目覚め始めていたが、[6] 一四世紀初頭に起きた、国を揺るがす大事件によって、ドイツ人に対する政治的、経済的、文化的反発へと駆り立てられたチェコ人の間で、自分たちの闘いの支えとなるような、母語による本格的な文学創作の必要性が生まれたのである。[7]

図 4-1 《ボヘミアのヴァーツラフ王》（『マネッセ写本』1300 ～ 40 年頃）

## 二　聖歌・叙事詩・年代記・聖人伝——チェコ語文学の誕生と、チェコ民族の自己表象および歴史意識の形成

こうして、一四世紀初頭の大事件に誘発されるようにして、本格的なチェコ語文学が生まれ、それはチェコ民族の自己表象を形成することになった。また、アーロン・グレーヴィチが「中世の人々の歴史意識［……］が形成されるのは学術的著作によってではなく、主として伝説、伝承、叙

事詩、サガ、神話、騎士道物語、聖者伝によってであった。まさにこれらの文学ジャンルは［……］全体的な世界像の中で過去のイメージを左右したのである[8]」と述べているように、チェコ語文学の初期に書かれた叙事詩・年代記・聖人伝などは、チェコ人の伝説的な歴史意識を形成し継承するものとなった。

　一四世紀初頭の大事件の前にも、一三世紀末頃に書かれたチェコ語の小さな作品が残っている。それは、「主よ、我らを憐れみたまえ（Hospodine, pomiluj ny）」と「聖ヴァーツラフよ（Svatý Václave）」という二つの短い祈りの詩などである。前者は恐らく一〇世紀中葉に古教会スラヴ語で作られた詩（聖歌）が、次第にチェコ語化していったものと考えられている。この聖歌はチェコの守護聖人である聖ヴォイチェフの崇敬と結びついていて、第二章で述べたように、言い伝えによれば聖ヴォイチェフその人が作ったとされる。[9] 後者は遅くとも一二八〇年代には存在したことが知られているが、恐らくは、チェコ最初の聖人にしてチェコ第一の守護聖人であり、チェコの永遠の統治者としての聖ヴァーツラフのイメージが定着した一二世紀末から一三世紀初頭くらいに作られたものと考えられている。そして、そのようなイメージが、先に見たプラハの聖ヴィート大聖堂聖ヴァーツラフ礼拝堂の聖ヴァーツラフ像を代表として、文学のみならず美術にも浸透し、聖ヴァーツラフ像がチェコ各地に広まることになった。

　一三〇〇年頃にチェコ語で書かれた叙事詩『アレクサンドレイダ（アレクサンドレイス）』（アレクサンドロス大王物語）は、フランスの詩人ゴーティエ・ド・シャティヨン（Gautier de Châtillon。一一三五～一二〇一）がラテン語で書いた同名の作品『アレクサンドレイス（Alexandreis）』（Alexandreis, sive Gesta Alexandri Magni）から素材を採り、恐らくは更に、チェコのドイツ系詩人ウルリヒ・フォン・エッツェンバッハ（一二五〇頃～一三〇〇以後）がドイツ語で書いた同名の翻案から影響を受けた作品である。この作品は、中世のキリスト教徒があらゆる騎士的な徳の体現者と見なしていたマケドニアのアレクサンドロス大王の生涯についての物語であり、元の約八五〇〇以上の詩行のうちの三四五〇行が現存する。だが、同時代のチェコの出来事をも示唆し、理念的な面では、強力なチェコ王を求める呼びかけと、浸透するドイツ人移住者たちへの反発を、例えば次のように表現している。

　ここではよそ者（host）であるドイツ人たちが
　神が多分残してくださるプラハ橋の上で
　チェコ人を見かけなくなる日が来ることを

待ち望んでいる
そしてチェコ人を見かけなくなるということが
じきに起こるかもしれない
『アレクサンドレイダ』ブジェヨヴィツェ断片、
第二三九～二四四行[10]

チェコ語で書かれた年代記としては最古の『ダリミルの年代記』（一三一四年頃）は、約四六〇〇の詩行から成る韻文の作品である。この年代記は、ラテン語で書かれた現存する最古の（散文の）年代記であるコスマス（一〇四五頃～一一二五）の『チェコ年代記』（通称『コスマスの年代記』）（一二世紀前半）をも踏まえながら、チェコ人の神話的な父祖チェフの到来からルクセンブルク家のヨハン（ヤン）の戴冠までの出来事を叙述している。この作品は、一四世紀初頭の大事件と、プシェミスル家断絶後にチェコ王位に即いた（外来の）ルクセンブルク家のヨハンとチェコ貴族たちとの軋轢に触発されて書かれたものであり、反ドイツ的な愛国主義的傾向を示している。この年代記の中で著者は、若いヨハン王に、チェコ人貴族たちを重んじなければ国を去るほかなくなると警告し、ドイツ人の「host（ホスト=客・よそ者・異国人）」たちに対する抵抗を呼びかけている。そして、チェコ人は古き良き特質を回復せよという訴えと、チェコ人とチェコ語への愛を表している。

例えば、『ダリミルの年代記』における、ソビェスラフ二世（チェコ大公在位一一七三～七八）についての次のような記述は特徴的である。新しく帝位に即いたドイツ皇帝が、ソビェスラフの二人の息子をドイツ化してやろうと企んで、二人を養育のために自分の宮廷へ寄越すように繰り返し迫る。だがソビェスラフは、異国の風習に慣れた者は自分の民族と縁を切ってしまうと考えて、息子たちを渡したがらない。それでも結局、皇帝の命には逆らえず、しぶしぶ二人の息子を皇帝のもとへやると、皇帝は彼らにドイツ人の習慣を叩き込む。そして、彼らはじきにドイツ語を話すようになってチェコ語をほとんど忘れてしまい、チェコに由来するものすべてを嫌うようになる。その時、ソビェスラフが病気で死に瀕しているという知らせが届き、二人の息子は急いで父の元に帰る。するとソビェスラフは、死の床で息子たちにこう遺言する。

「私はおまえたちに国を遺し、
おまえたちにおまえたちの民族（jazyk）[11]を託す、
おまえたちがいつも民族（jazyk）を増やして、
ドイツ人を国に入れないように。
チェコでドイツ民族（jazyk）が増大するならば、

我々の一族のあらゆる名誉はおしまいになるだろう。
というのも、大公たちも国を裏切り、
彼らのために我々の王冠はドイツへと奪い去られるだ
　ろうからだ。
ドイツ人たちは初めのうちはおとなしいが、
数が増えるやいなや、
自分の主君を顧みなくなり、
自分たちの国から主君を探すようになるのだ。」[12]

この一二世紀後半の話は虚構だが、ヴァーツラフ三世が暗殺されてプシェミスル家が断絶した後に外来の王の交代が相次いだ一四世紀前半のチェコの不安定な状況と上層階級の懸念を反映したものと考えられる。その懸念とは即ち、チェコの統治者がドイツ人になってチェコの言葉と慣習を毛嫌いするようになり、またドイツ人を引き連れて来て、チェコの宮廷にドイツ人をはびこらせ、宮廷と更には貴族たちをもドイツ化していくという懸念である。後にカレル四世が自分の母プシェミスル家のエリシュカを通じて繋がるチェコとスラヴの伝統を殊更に強調し、それを様々な表象によって顕示しようとしたことには、このようなチェコの上層階級の懸念を払拭しようという意図もあったことだろう。

また、『ダリミルの年代記』の終わりの方（第九八章）では、ヴァーツラフ三世の暗殺事件も記されている。ここでは、皇帝が、まだ子供だったヴァーツラフ三世に仕えさせるために三人のチューリンゲン人を送るが、その一人が、ヴァーツラフの寝起きの隙を狙って殺害するということになっている。

皆が去ってから、チューリンゲン人が部屋の前にやっ
　て来た。
王の前には、一人の近侍のほかに
見張りはいなかった。
チューリンゲン人は部屋の前に立って
その時を窺った。
ヴァーツラフ王は眠りから起きると、
大きな溜息をついた。
自分の方へ来るようにと、
首席司祭を呼んだ。
「そばに来てくれ、心細いから」
不実な従者であるそのチューリンゲン人は、
王が段を下りるのを助けようとするかのように、隅か
　ら走り出て来て
あっという間に王の喉を突き刺した。

ああ、チューリンゲン人よ、邪悪な者よ、
おまえは何ということをしでかしたのだ、裏切り者よ！
その愛らしい子供が、おまえに何をしたというのか？
きっと、おまえにたくさんのものを賜ったということだろう？
それ故におまえは王を殺して、
この国を孤児にしなければならなかったというのか？
おまえたちによって、チェコではもう二人目の大公が殺されたのだから、
それは恐らく、おまえの民族にとっては当たり前のことなのか？
［……］
そのチューリンゲン人はすぐに捕らえられて、
王を殺した手を切り落とされた。
犬どもが男の体全体を食ったが、
その手だけは食おうとしなかった。[13]

年代記と同様に、チェコ語で書かれた幾つかの聖人伝の中にも、反ドイツ的な要素が現れている。

一四世紀初めの数十年に、イタリア人ヤコブス・デ・ウォラギネ（一二三〇頃〜九八）がラテン語で書いたキリスト教聖人伝集『黄金伝説（レゲンダ・アウレア）』に倣って、幾つかの聖人伝的叙事詩がチェコ語で書かれた。そのうち文学的に最も価値があると見なされている『ユダ伝説（Legenda o Jidášovi）』（一三〇六年以後）は、新約聖書の中の裏切り者としてのユダの話を語りながらも、同時代のチェコにおけるヴァーツラフ三世の暗殺に言及し、『ダリミルの年代記』と同様に、罪なくして（ヴァーツラフ三世の）血を流させたのは「裏切りの民族（proradné plémě）」（＝ドイツ人）[14]だとしている。

チェコの守護聖人の一人となった聖プロコプについての『聖プロコプ伝』（一四世紀中葉）は、ラテン語の散文の伝説『聖プロコプのより大きな生涯（Vita sancti Procopii maior）』をチェコ語の韻文に翻案したものである。この聖人伝は、チェコにおける古教会スラヴ語典礼の拠点となったサーザヴァ修道院の創設者、聖プロコプの生涯を描いているが、ここにも反ドイツ的な要素が現れている。この作品の最後の方で、死の近づいたプロコプが、彼の死後にこの修道院に降りかかるであろう災難について予言をするのだが、そこでスピチフネェフ二世（ズビフニェフ）が次のように批判されている。

「彼は狡猾な人々の言うことを聞いて

あなた方をここから追い出すだろう
その後でこの場所をドイツ人たちに
よそから来た異国人たちに与えるだろう
そしてあなた方は居場所がなくなって
よその土地に行かねばならなくなるだろう。[15]」

そして実際にこの予言が実現してしまうと、修道院を占領したドイツ人たちのもとに、死んだプロコプが現れて、修道院から出て行くように警告する。再三の警告をドイツ人たちが無視していると、ついにプロコプは手に持った杖でドイツ人たちを打ちすえ、彼らを追い出すのである。このように、この聖人伝は、スラヴ語典礼の支持者たちとラテン語典礼の支持者たちの対立と同時に、チェコ人とドイツ人の対立を描いている。

以上のように、チェコ語文学が誕生した一四世紀初頭から中葉までのチェコ語文学には、チェコ民族としての自己防衛的意識と反ドイツ的意識が表れていて、チェコ人はチェコ語文学によって（ドイツ人に対抗する）チェコ民族の自己表象と伝説的な歴史意識を形成しようとしたのだと考えられる。建築家・画家・彫刻家には、外国からチェコにやってきたか、あるいは外国で修業した者が多かったし、そもそもそれらの芸術ジャンルではそのような意識は表現しにくいが、チェコ語文学の著者はチェコ人であったし、言葉を使う文学ではそのような意識を表現しやすかったのだと考えられる。

## 三　カレル四世以降の時代の文学

カレル四世は、チェコの由緒ある（母方の）プシェミスル家（の男系）が断絶した後、「よそ者王（外国人王）」と言われた父、ルクセンブルク家のヨハンの時代に弱体化した君主権力を強化しようとして、その支えの一部を過去に求めた。彼はそのために様々なことをしたが、チェコの伝統に繋がる文学作品の創造も、その一つであった。つまり、そのような文学作品は、国王・皇帝や王国・帝国の威信を高めるための「皇帝様式」の美術作品に対応する、「皇帝様式」の文学作品だと言うことができるだろう。

カレル四世自身がラテン語で執筆した聖ヴァーツラフ伝である『聖ヴァーツラフの新しい物語（Historia nova de sancto Wenceslao）』（一三五八年頃）は、カレルが母エリシュカを通して繋がるプシェミスル家の継承者であるということを示している。

前述のように、カレル四世は、旧約聖書の族長たちからカレル四世にまで至る連作絵画《ルクセンブルク家の系図》

をカルルシュテイン城に描かせたが、それと同様のことを文学においてもやろうとした。フィレンツェ出身のジョヴァンニ・デ・マリニョーリをチェコに呼び寄せて編纂させたラテン語の『チェコ年代記（Cronica Boemorum）』は、旧約聖書の族長たちの時代からカレル四世に至るまでの時代を記述して、チェコの歴史を「世界の」歴史の中に組み込もうとするものであった。[16]

やはりカレル四世の注文で、一三七〇年代にラデニーンのプシビーク・プルカヴァ（?〜一三八〇）が新しいラテン語の年代記『チェコ年代記』（あるいは『新チェコ年代記』）の執筆に取りかかり、それをプルカヴァ自身がチェコ語に訳した。この年代記も、チェコの歴史を「世界の」歴史の中に組み込もうとして、旧約聖書のバベルの塔の話とスラヴ語の誕生から筆を起こしている。また、大モラヴィア帝国とチェコ王国との連続性を強調し、カレル四世が復興しようとした古教会スラヴ語典礼にも言及している。[17]

「皇帝様式」の文学作品とは別に、プラハ大司教など教養の高い高位聖職者たちも、著作を書いた。第三代プラハ大司教イェンシュテインのヤンは、ラテン語で賛美歌——特に聖母マリアを讃えるもの——や宗教的著作を書いた。前述のように、彼は聖母マリア御訪問祭の導入に尽力してそれを実現したが、それに関係するラテン語の著作として『聖母マリア御訪問の奇跡（Miracula beatae Mariae visitationis）』（一三八八年以後）などがある。

先に、チェコにおけるドイツ語詩の黄金時代は一三〇六年までだと述べたが、その後、ドイツ語の散文が開花する。前述のドイツ系都市貴族でリトミシュル司教とカレルの尚書局長を務めたストシェダのヤンは、自らドイツ語で書いた作品や、ラテン語の著作のドイツ語訳において気品のある文体を用い、同時代の者たちに影響を与えたと言われる。[18]

チェコ語散文の発展の一部であり、ある意味でその頂点となったのは、『レスコヴェツ=ドレスデン聖書（レスコヴェツ聖書、ドレスデン聖書）』と呼ばれる、旧約・新約聖書両方のラテン語訳（ウルガタ聖書）からの最初のチェコ語全訳である。このチェコ語全訳聖書は、ヨーロッパにおける聖書の俗語訳としては非常に早い一三六〇年頃に作られ、翻訳には恐らく一〇人ほどの翻訳者が関わったと考えられている。ただし、このチェコ語訳聖書は、説教師と女子修道院向けのものであり、平信徒向けのものではなかった。平信徒向けのチェコ語訳聖書は、一五世紀になってからフス派が整備した。[19]

前述のように、カレル四世の息子のヴァーツラフ四世の時代になると、カレル四世が一三六九年に発した聖書の俗語訳禁止令は守られなくなり、聖書の俗語訳が行われるようになった。特に有名なのは、第三章で述べたように、旧約聖書のドイツ語訳である『ヴァーツラフ四世の聖書』（一三八九年頃？）の装飾写本である（第三章図3－4参照）。聖書のドイツ語訳としては最初期のものに属するこの聖書がチェコで作られたことは、当時のチェコの言語・文化状況をよく示すものでもある。[20]

## 四　「論争」――『ボヘミアの農夫』の「死」と、『織匠』の「不幸」

　中世には、人間以外のものを擬人化して論争させる「論争」のジャンルの作品が多く書かれ、その多くは韻文、つまり詩の形式であった。このジャンルは古典古代の文学形態から発展し、中世の教育手段としてのスコラ学的な学問的論争の方法も用いていると言われる。[21] 罪や死などのキリスト教的テーマを巡って論争を繰り広げる作品が少なくないが、それだけではなくて内容は多岐にわたり、様々な種類のものがある。

　チェコ語で書かれたこのジャンルの作品としては、『魂と肉体の（第一の）論争（(První) Spor duše s tělem)』（一三二〇年以後）、『馬丁と学生（Podkoní a žák)』（一四〇一年以後）、『織匠（恋人と不幸との争い）（Tkadleček (Svár milence s Neštěstím))』（一四〇七年？）、『プラハとクトナー・ホラの争い（Hádání Prahy s Kutnou Horou)』（一四二〇年）、『人間と死の対話（Rozmlouvání člověka se Smrtí)』（一五世紀末頃）などがある。中でも『織匠』は、このジャンルの最も重要な作品であり、散文で書かれた長い作品である。

　チェコ語で書かれた『織匠』は、中世チェコ・ドイツ語文学の傑作として知られる『ボヘミアの農夫（Der Ackermann aus Böhmen)』（一四〇〇年？）と明らかに関係があるが、その関係については諸説繰り広げられてきた。

　概してチェコ・ゴシックの芸術作品全般に言えることなのだが、チェコの研究者はチェコの作品が先に作られてドイツの作品に影響を与えたと主張しがちであり、他方、ドイツの研究者は逆にドイツの作品が先に作られてチェコの作品に影響を与えたと主張しがちである。このことは『織匠』と『ボヘミアの農夫』にも当てはまり、初めチェコの文献学者ヴァーツラフ・ハンカやヨゼフ・ドブロフスキーは前者の説を唱え、ドイツのヨハン・クニーシェク（Johann Knieschek）などは後者の説を唱えた。[22] 最も魅力的な説は、同一人物がドイツ語とチェコ語の両方の作品を書いたという説であり、その可能性も皆無ではない。

　『ボヘミアの農夫』の作者ヨハネス・フォン・テープル、あるいはヨハネス・フォン・ザーツ（チェコ語ではテプラーのヤン、あるいはジャテツのヤン）（一三五〇頃〜一四一四／一五）は、チェコ語とドイツ語の言語的境界地帯に当たるホルショフスキー・ティーン近郊のシトボシュの村で生まれ、ドイツ語が優勢だったジャテツ（ドイツ語名ザーツ）の町で市の文書官やラテン語学校の校長を務めていたが、後にプラハに移って新市街の文書官になった。そこでは住民の大部分がチェコ人だったので、チェコ語の能力が職務遂行の前提だったはずだと考えられる。父親は司祭だったと言われており、教会と司祭の仕事は彼にとって身近なものであったに違いなく、このことは、後述の司牧神学（実践神学）と『ボヘミアの農夫』との関係の傍証になりうる。

一方、『織匠』の作者が誰かについて確かなことは分からず、定説はないが、二言語的環境にあったジャテツのラテン語学校長を務めていたヨハネス・フォン・テープルの教え子だとする説は可能性が高いように思われる。[23] 確かなのは、一方の作品の作者が他方の作品を知っていて、それを踏まえていることである（二つの作品には、ドイツ語とチェコ語という違いはあるものの、ほぼ同じ文章も出て来る）。そして、後述のように、『織匠』が司牧神学の伝統に繋がりながら『ボヘミアの農夫』への応答あるいは補完として書かれた可能性が高いことから、ドイツ語で書かれた『ボヘミアの農夫』を読んだ者が後からチェコ語で『織匠』を書いたことは、ほぼ間違いないと考えられる。

ドイツ語で書かれた『ボヘミアの農夫』は、出産時に妻を亡くした夫が、愛妻を奪った「死」を訴えて、擬人化された「死」と論争を繰り広げるという作品である。「農夫」による訴えとそれに対する「死」の答弁が一六回ずつ計三二回行われ、最後に神の判決が下され、更に、妻の魂のための農夫の祈りがエピローグとして付け加えられている。かつて、この作品は実際に妻を亡くした作者の体験に基づいて自分の内面を吐露した自伝的な「告白文学」だと考えられていたが、作者自身が、この本を友人に献呈した際に、修辞学・雄弁術の妙技を示そうとしてこの作品を執筆したと述べている書簡が発見されて以来、この「告白文学」説は一気に分が悪くなった（ちなみに修辞学は、ヨーロッパ中世の大学における、いわゆる「自由七科」の一つであり、大学生はこれを学んでいた）。いずれにせよ、作者はこの作品において自分の雄弁術の能力を発揮していることは確かである。

一方、チェコ語で書かれた『織匠』の作者は、多言語的環境の中に暮らし、ラテン語、ドイツ語、チェコ語ができ、雄弁術と哲学に通じた者であり（この作品にはソクラテス、アリストテレス、ボエティウスその他の哲学者たちからの引用が多く出て来る)、ラテン語やドイツ語と同様にチェコ語でも複雑で高度な文章を書くことができ、雄弁に語ることができ、哲学を論じることができるということをこの作品で示し、自らの論争と雄弁術の能力をチェコ語で発揮している。

『織匠』では、主人公の「織匠」から恋人(釜炊き女)を去らせた「不幸」に対する訴えと、それに対する「不幸」の答弁が八回ずつ計一六回行われる。しかし『ボヘミアの農夫』と異なり、そこで終わっていて、神の判決もエピローグもない。また、『織匠』は分量的に非常に長い作品であり、『ボヘミアの農夫』の約四倍の長さがある。また、概して一つ一つの文章も長くて複雑であり、そのようなチェコ語の文章を意図的に誇示しているとも受け取れる。このことは、『織匠』の方が『ボヘミアの農夫』よりも哲学者たちからの引用が多く、哲学的な性格が強いという相違とも関係していると思われる。例えば『織匠』の第一二章にある、この作品の中で最も長い一文は、関係代名詞や接続詞を多用したり、類義表現を重ねたりしていて、何と一三九語から成る。

また、『ボヘミアの農夫』においては、万人に死をもたらす(擬人化された)「死」が訴えられているものの、もっぱら自らの愛妻の死という「農夫」の個人的な経験に焦点が当てられているのに対して、『織匠』においては、自らの恋人に去られるという「織匠」の個人的な経験に基づくものの、(擬人化された)「不幸」は人々に様々な不幸をもたらす疫病神のようなものとして、その存在と活動全般が訴えられている。そして実際に、恋人に去られて不幸のどん底に突き落とされた「織匠」は、疫病神のような「不幸」に取り憑かれたまま立ち直れなくなっているのであり、「悪しき『不幸』よ、あらゆる悪しきものと共におまえも滅びてしまえ！　そしておまえと共にあらゆる悪しきものも滅びてしまえ！」、「私はおまえの囚われ人なんだ[24]」と叫ぶのである。

このように、『織匠』においては、恋人に去られるという、愛妻の死と比べれば些細にも思える不幸は、世界における(万人にもたらされうる)不幸の存在あるいは生起の問題へと一般化されている。「不幸」は、「私はおまえだけにではなく、私が世界の中でどちらを向こうとも、あらゆる方向に自分の力を示し、あとにその痕跡を残すのだ[25]」と豪語し、身分の高い皇帝や国王であろうと、身分の低い市民や農民であろうと、聖職者であろうと世俗の者であろうと、男であろうと女であろうと、「不幸」が万人に痕跡を残さずにはいないように、神自身によって送られて来ているのだと主張する。そして逆説的にも、(闇であるはずの)「不幸」は、万人・万物を照らし、自身が光である太陽と同じように働いているのであり、誰も「不幸」からは逃れられないのだと言う。[26] つまり、不幸は日の光のように、生きとし生けるものに降り注ぐというわけである。それというのも、「不幸」の存在と活動がなければ、神に背いて罪を犯したイヴの子孫である人間たちは、その傲慢さの故に世界を混乱に陥れ、互いに食い合うことになるからだという。[27]

ダニエル・ソウクプは「『織匠』――哲学的思考の地域語化」という興味深い論文において、聖職者が俗人の宗教的生活に配慮して（特に近親者を喪った者の）苦悩や死の不可避性と折り合いをつけるのを助ける司牧神学と、『ボヘミアの農夫』および『織匠』との関係を指摘し、両方の作品とも、古典古代に根を持つ司牧神学的著作の中の「慰め（consolatio）」のジャンルに属するものだとしている。[28]

しかしソウクプによれば、『ボヘミアの農夫』が「死の慰め（consolatio mortis）」のジャンルに繋がる作品であるのに対して、『織匠』は特に、近親者の死によって引き起こされる苦悩だけでなく、不幸（Fortuna Mala）によって引き起こされる苦悩をも和らげる「哲学の慰め（consolatio philosophiae）」のジャンルに繋がる作品だという相違がある。ソウクプは、中世に良く読まれていて『織匠』の中でも四回引用されている『哲学の慰め（De consolatione philosophiae）』の著者で、古代ローマの哲学者・政治家ボエティウス（四八〇頃～五二五頃）と『織匠』との関係を指摘している。更に、ボヘミア地方司教総代理としてプラハに住んでいたこともあり、ドイツ語で書いた『神の慰めの書（Das Buch der göttlichen Tröstung）』で知られる神秘主義的思想家マイスター・エックハルト（一二六〇頃～一三二七）との関係にも――直接的な関係は分からないものの――言及している。[29]

『織匠』にボエティウスが四回引用されていることからも分かるように、ボエティウスの『哲学の慰め』が『織匠』に影響を与えていることは間違いなく、この点でソウクプの指摘は正しい。ただし、『織匠』と『哲学の慰め』の間には、小さからぬ相違もある。『織匠』は『ボヘミアの農夫』と同様に裁判形式の激しい「論争」であり、主人公の「織匠」が表出的・表現主義的な苦悩の叫びを上げて、対立する相手（不幸）に対して感情的な激しい言葉を投げつけ、それに対して、極めて学識に富む「不幸」が古典古代の哲学者たちや旧約・新約聖書や聖人たちの言葉を自在に（古チェコ語で）引用しながら哲学的・神学的に応答して「織匠」を諭すという、単純な形式と激しい文体を取っている。それに対して、ボエティウスの『哲学の慰め』においては「不幸」は直接には登場せず、この作品の一部（第二巻二）

に間接的に登場するだけであり、高貴な女性として擬人化された「哲学」が「運命」（の女神）の言葉を借りてボエティウスと穏やかに議論するという、二重構造になっている。そして「哲学」はボエティウスに、「運命」の女神は幸福と不幸の両面を持ち、人間に幸福をもたらすのと不幸をもたらすのは同じ「運命」の働きなのだと諭す。更に、神の創造した世界における悪の存在と跋扈、すべてを統御する神の摂理と人間の自由意志との二律背反という根本的な問題について、あくまでも穏やかに哲学的な対話を交わすのである。

知られているように、「最後のローマ人にして最初のスラコ学者」とも言われるボエティウスはローマきっての名門の出で、卓越した教養と才能に恵まれたキリスト教徒の貴族であった。彼は、当時新しくイタリアの支配者となった東ゴート王のもとで執政官・元老院議員・政府長官という要職を務めたが、政争に巻き込まれて、陰謀を企てたとして投獄され、死刑に処せられた。そして彼が獄中で執筆したのが、スコラ学の先駆的著作と言われる『哲学の慰め』である。理不尽な不幸に見舞われて投獄され処刑されることになったボエティウスにとって、神の世界になぜ悪が存在するのか、そして理不尽な不幸をいかに受けとめてそれと折り合いを付けるのかという弁神論（神義論）的な問題は、単なる思考上の問題ではなく、実に切実な実存的問題であったに違いない。

ボエティウスは、『哲学の慰め』の第一巻で次のような美しい詩を綴り、万物の創造者であり統御者である神に向かって、自然界を司る神の摂理を称えると同時に、万物を統御しているはずの神がなぜ人間の行動を放任しているのかと嘆く。

星をちりばめた天界の創造者よ、
あなたが永遠の玉座について
天球をすばやく廻転させ
星辰を法則に従わせるので、
月は日の光をまともに受けて
冴えわたり　ぬか星の
影を蔽うこともあれば
太陽に近づいて青ざめつつ
光を失うこともある。
またたそがれ時にひえびえと
昇る宵の明星は、やがて手馴れた
手綱を取りかえ晩の明星となって
青ざめつつ日の出を待つ。
あなたは木の葉の散りつくす

寒い冬には　昼を短くし
暑い夏がめぐってくると
夜の時刻をせき立てる。
あなたの力は四季をととのえ
北風が吹き散らす木の葉を
西風によってやさしく連れ戻させ、
アルクトゥルスが見たすべての種子を
シリウスの熱で成熟させる。
何物も昔ながらの法則を破らないし、またおのれの
位置にふさわしい仕事をやめない。
万物を一定の限度のもとに支配しながら
あなたは人間の行動だけはその身に
ふさわしい節度をつけて導くことを拒む。
いったいどうして運命はこうも軽々しく変るのか。
犯罪者に加えられるべき刑罰が
罪のない人々を苦しめる。
また性根の曲った者が
高位に登り　不法にも
聖人の首を踏みにじる。
輝かしい徳性は深い闇に
おおい隠され　正しい者が
不正な者の罪を負う。

偽誓も真赤な嘘で固めた欺瞞も
彼らはものともしない。
しかし権力を振いたくなると
彼らは無数の民衆が恐れる
至尊の王侯をないがしろにしたがる。
あなたは万物を結び合せるからには
不幸な地上をかえり見るがよい。
あなたの大事業の貴重な一部である
われわれ人間は、運命の大海に翻弄されている。
支配者よ、あなたは荒波を鎮め、
あなたが広大な天界を治める
きずなで大地を堅く結ぶがよい。[30]

理不尽な不幸に見舞われて嘆くボエティウスのもとを、気品のある婦人の姿を取った「哲学」が訪れ、彼と対話し、彼の疑問に答え、彼を慰めるのだが、ボエティウスは「哲学」に、次のような疑問を投げかける。

しかし私たちの悲しみの最大の理由は、万物の善い支配者が存在するのに、とにかく悪がありうるということ、もしくは罰せられずに見過されるということにほかなりません。これだけでもどれほど驚嘆に値する

ことであるか、あなたにはよくお分りです。ところが、これにはさらにもっと重大なことが加わります。すなわち放埒が横行して栄えているというのに、徳性は報いられないばかりでなく、また犯罪者たちによって踏みつけにされ、悪事の身代りとなって罰せられています。あらゆることを知り、あらゆることをなし、しかも善のみを欲する神の国に、こんなことが起るということは、誰にとってもいくら驚いても嘆いても足りないことです。（傍点引用者）[31]

また、第二巻では、「哲学」が運命の女神を取り上げ、「私はあの怪物の百面相を知っています。私はまた、あの怪物がたぶらかそうとする相手に、猫なで声で馴れなれしく近づいたかと思うとさっと身を引いて、相手に堪えがたい苦痛を与えることを知っています。もしあなたがこういう運命の本性と癖と真価を思い出すならばあなたは運命がどうなろうと、何かすばらしいものを得たのでも失ったのでもないことを認識するでしょう」[32]と述べてから、前述のように運命自身の言葉を借りて、ボエティウスと議論する。

　ところで、神が創造して統御しているはずのこの世界になぜ悪が存在するのか、なぜ死や不幸が跋扈して人を苦しめるのかという弁神論的な問題、そして人間である以上誰もが遭遇する可能性のある理不尽な不幸や不条理な受難に見舞われたとき、人はそれをいかに受けとめ、それといかに折り合うべきかという実存的な問題は、時代を超越した普遍的な問題である。その問題が、「慰め」のジャンルと司牧神学に繋がると考えられる『ボヘミアの農夫』と『織匠』においては、擬人化された「死」や「不幸」を相手にした劇的な「論争」の形式において、しかも雄弁術・修辞学の粋を尽くして文学的に展開されている。作者たち自身が、自らが創作した「論争」の中で対立する主張を闘わせながら、この問題をめぐる議論と思索を深めていき、答えを見出そうとしているようにも思える。その答えは当時のキリスト教的な弁神論の枠を超えるものではないかもしれないが、中世的な「論争」の形式と雄弁術・修辞学を駆使しながら、人間にとって普遍的な弁神論的・実存的な問題を巧みに展開し、同時に人間の悲しみや苦悩を赤裸々に吐露しているところに、この二作品の時代を超える価値があると言えよう。

　司牧神学が特に近親者を喪った者の苦悩や死の不可避性と折り合いをつけるのを助けると言っても、安価な慰めや生半（なまなか）な諭しの言葉では、そのような者の深い悲しみや激しい苦悩を癒せるはずはなく、死をもたらした神の創造と秩序を恨む気持ちさえ起こるのを防ぐことはできないであろう。まずは、そのような者の側に立って、その深い悲しみや激しい苦悩を理解し、共感し、それに深い表現を与えてやらねばなるまい。『ボヘミアの農夫』における、愛妻を喪った夫の、擬人化された「死」に対する激しい糾弾は、そのような理解と共感と表現の役割を果たしていると考えられる。

例えば、『ボヘミアの農夫』では、「死」が「農夫」に次のような理屈を捏ねて、再婚するように助言する。

> 私に言うがよい。君が初めて君の賞賛する女性を妻にしたとき、君は彼女が優れていると思ったのか、あるいは君が彼女を優れた者にしたのか？　もし君が彼女を優れていると思ったのであれば、理性をもって探すがよい！　君はなお多くの優れた、純粋な女性を見出し、そのうちの一人と夫婦になることだろう。しかし、もし君が彼女を優れたものにしたのであれば、喜びなさい。君は、まさしく、もう一人優れた妻を教育し創ることが出来る生きた師匠なのだ。[33]

更に「死」は、愛が多いほど悲しみも増し、愛を抑えれば悲しみから解放されるのだと教え諭す。

存在者の唯一無二性と、それに基づく愛の代替不可能性——それは「農夫」の場合、自分にとってだけでなく、子供たちにとってもそうなのだ——を無視したこのような「理屈」は、「農夫」には詭弁にしか聞こえないであろう。「農夫」は、次のように答える。

> 不幸の後に来るのは嘲笑だ。悲しむ人はそれをよく感じ取る。傷つけられた男である私がおまえにされているのも、そういうことだ。[34]

そして、自分は「慰め」と「誠実な助言」を欲しているのだと訴え、まるで下手な司牧者の助言や慰めは役に立たないとでも言うかのように、次のように言う。

> 私はいったい何を喜んだらよいのか？　どこに私は慰めを求めるべきか？　どこに避難の場を持てばよいのか？　どこに保養の場を見出すべきなのか？　どこで誠実な助言を得るべきか？　それはどこにもありはしない。（傍点引用者）[35]

そして「死」のお手軽な助言を無効化するかのように、自分と子供たちの悲しみと苦悩を吐露する。

私のあらゆる喜びはなくなった。瞬時に消え去ってしまった。あまりにも早く過ぎ去った。おまえは彼女を、大事な人を、愛情深い人を、私から猶予なくもぎ取った。おまえは無慈悲にも私をやもめに、子供たちをみなし子にしてしまったのだから。私はおまえから償いをされないまま、悲しみに沈み、孤独で、苦痛でいっぱいになっている。[36]

あるいは、「死」は「農夫」に、端的に「忘れてしまえ」と助言する。

君は、その悲しみをこころから如何に取り払うべきかの助言を求めている。［……］この世では喜びの後には憂いが、愛の後には悲しみが訪れる。愛と悲しみとは結びついているはずだ。一方の終りは他方の始まりである。悲しみと愛とは、あたかも人が或るものを心の中に捉えて離そうとしないような場合と違わない。満足していれば誰も貧しくはなることはなく、不満であれば誰も豊かになれない。なぜなら、満足と不満は所有や他の事物にではなく、心意の中にあるものであるから。愛をすっかりこころから追いだそうとしない者は、愛と共にある悲しみを常に抱いていなければならない。そのこころから、感覚から、また心意から、愛の記憶を追い出してしまいなさい！　そうすれば、ただちに、君の悲嘆は取り除かれるだろう！　君が何か取り戻せないものを失ったら、すぐ、それが君のものではなかったかのようにしなさい！　君の悲嘆はただちに消えていく。[37]

愛妻を喪ったばかりで、彼女を忘れることなど思いもよらない夫に向かって端的に「忘れてしまえ」という「助言」も、慰めにもならないお手軽な「助言」であり、それに対して「農夫」は、そんな「助言」は役に立たないと言って、こう反発する。

人間の意識は働かずにいることがあり得ないのだから。意識は常に善か悪かをおこなわねばならない。寝ているときでさえ休もうとはしない。意識から善い思いが取り去られれば、悪い思いが意識に入ってくる。善きものが出れば、悪しきものが入り、悪しきものが出れば、善きものが入る。この交替は世界の終りまで続かねばならない。この世から、喜び、礼節、恥じらい、他の高貴な徳が駆逐されて以来、世界は、悪意、恥ずべきおこない、嘲り、背信行為、裏切りに満ちている。おまえはそれを日々目にしているはずだ。
　だから、私が最も愛する人についての思い出を意識の中から追い出してしまうなら、代わりに悪しき思いが意識に入ってくることになるだろう。そうであればこそ、私は一層いつも最も愛する人のことを考えようと思う。大きなこころの愛が大きなこころの悲しみに変わるとき、いったい誰がそれを速く忘れられるものだろうか？　悪しき人々はそうする。良き友人たちは絶えず互いのことを思う、長い道も長い年月も愛する友を隔てはしない。彼女は肉体的には死んだ。しかし、私の記憶の中には常に生きているのだ。死よ、おまえは、おまえの助言が役立つためには、もっと誠実に助言をしてくれなくてはいけない。さもなければ、こうもりのおまえは、はいたかよりも鳥の憎しみをかうことになるはずだ。（傍点引用者）[38]

　分の悪い「死」は神を持ち出して、神が創造した世界の秩序を維持するために、自分には神から重要な役割が与えられているのだと、「農夫」に教える。

　神は、天の玉座は良い霊たちに、地獄の深淵は悪しきものたちに、この地上の国は私に相続分として与えてくださった。天には美徳に対する平安と報酬を、地獄には罪に対する苦しみと罰をあてがわれたように、陸と海と、それらの中にあるあらゆるものとを、全世界の力強い主は、私に委ねられ、私がすべて余計なものを根絶し、刈り取るように命じられたのだ。
［……］もし私が、粘土から作られた最初の男の時代から、地上の人々や、荒野や未開の森の動物や虫や、水の中の鱗を持ったぬるぬるした魚の成長と増加を断ち切ることをしてこなかったならば、誰一人、小さな蚊に対してすら抵抗しようとしないであろうし、狼に向かって思いきって立ち向かうこともしないであろう。そうすると、人は他の人を食い、獣は他の獣を食い、生きている被造物が皆他の被造物を食うようになるであろう。なぜなら、彼等に食物が欠けるようになり、大地は彼等にとって小さくなってしまうであろうから。[39]

　そして「死」は、「死」そのものが、アダムとイヴの堕罪に際して神によって創造されたものなのだという秘密を明かす。

　君は私がどこから来たかを問う。私は地上の楽園から来た。神が「汝がこの果実を食べる日に、汝は死ぬ

だろう」と言われたとき、神は私をお創りになり、私を正しい名前でお呼びになったのだ。（傍点引用者）[40]

これはもちろんキリスト教な説明であり、アダムとイヴの子孫たる人間に死と折り合いをつけさせるための、有無を言わせぬ神学的な論拠の提示である。なぜなら、神の創造した「死」を受け入れないことは、神そのものへの反逆になりかねないからである。

このように、「農夫」に訴えられた被告であり、「農夫」と敵対しているはずの「死」は、被告として反論しようとするだけでなく、「農夫」に愛妻の死と折り合いをつけさせようとして助言を繰り返すのであり、まるで司牧者の役割を演じているかのようである。まだ未熟な司牧者が自分の下手な助言と安価な慰めを繰り出すたびに反発を受けて、また別の、より説得力のある言葉を繰り出そうとして試行錯誤しているようにも思える。

ところで、『ボヘミアの農夫』や『織匠』の遠い淵源になっていると思われる『旧約聖書』の「ヨブ記」において――『織匠』には「ヨブ記」も引用されている――、次々と不幸に見舞われて絶望のどん底に沈んだ義人ヨブを「いたわり慰めるために」やって来た三人の友人とヨブとの間で「論争」が起こり、ヨブの苦悩の深さに見合わない浅い言葉でヨブを慰め諭し、苦悩と折り合わせようとする彼らに対して、ヨブは「どうして、あなたがたは／空しい言葉で私を慰めるのか。／あなたがたの答えは欺きにすぎない」（二一―三四）[41]、「あなたがたは皆、無用の医者だ」（一三―四）[42]、「あなたがたは皆、慰める振りをして苦しめる」（一六―二）（傍点引用者）[43]と反発するのだが、これと同様のことが起こっているのである。

『ボヘミアの農夫』という作品は、司牧神学の「理屈」と実際の痛切な苦悩とのギャップを埋めようとする試行錯誤のようにも思える。このようなお節介にも思える「死」の度重なる助言は、「死」が部分的に司牧者の役割を担っていることから出ているのではなかろうか？　そして、二人の「論争」を通じて、死と折り合いをつけさせるためのより高度な説明が、いわば弁証法的に探求されていくのである。

司牧者の役割を担う「死」は、「農夫」に何とかして死と折り合いをつけさせられなければ、「農夫」はついには「死」の悪行を放置している神にも恨みを向け、神の創造した世界そのものをも否定するようになりかねない。そして「ヨブ記」（二一―九）において、次々と不幸に見舞われながらも「義人」であり続けるヨブに向かって、クサンチッペに勝るとも劣らない悪妻に思えるその妻が、「あなたは、まだ完全であり続けるのですか。神を呪って死んでしまいなさい」（傍点引用者[44]）と言い放ったように、まさに「神を呪って死んでしまう」という最悪の事態に至りかねないのである。更に言えば、この「神を呪って死んでしまう」――更には、神を呪って殺人や破壊行為にさえ及ぶ――ということは、ユダヤ・キリスト教的一神教の背後に――いわば光のある所に影ができるように――常に潜んでいるのではなかろうか？　なぜなら、世界の創造主であり万物を統御しているはずの神は、この世界のすべてのことに対して責任を問われる可能性があるからである。裁判で訴えられる真の被告は、「死」ではなくて神になりかねない。そのような可能性は、先に引用したボエティウスの『哲学の慰め』にも潜んでいるし[45]、既に「ヨブ記」に潜んでいる。次のように、ヨブは主に抗議したいと言い、主はそれを退けるのである。

（ヨブ）「私は御前で訴えを並べ／口を極めて抗議したい。／私はその方の答えを知り／私に言われることを悟りたい」（二三―四〜五）。
（主）「非難する者が全能者と言い争うのか。／神を責める者はこれに答えよ。」（四〇―二）
（主）「あなたは私の裁きを無効にし／私を悪とし、自分を正しい者とするのか」（四〇―八）（傍点引用者[46]）。

『ボヘミアの農夫』と『織匠』において、責任追及の直接的な対象が、擬人化された「死」や「不幸」であることによって、そのような神に対する直接的な責任追及は回避されている。さもなければ、これらの著作自体がキリスト教会から神への冒瀆・異端と見なされてしまったであろう。しかしながら、ソウクプが指摘しているように[47]、『織匠』には、あたかも「死」の代わりに神が被告席についているように思われる個所もある。

神よ、力ある主よ、あなたの創造物である私の言うことを聞き給え、［……］あの邪悪な「不幸」に、あなたの容赦なき破滅を躊躇なく与え給え！　親しき主よ、あの者を消し去り給え、滅ぼし給え！　というのも、あの邪悪な「不幸」は、あなたが創ったこの地上のあなたのすべての創造物に対立しているばかりでなく、天使たちにも今も昔もひどく対立しているので、あの者は地上の人間たちの間で暴れ回っているばかりでなく、あなたの天使たちの間でもつけ上がり、その邪悪な敵対行為によって暴れ回っていると思うと、私は驚き、怖れるからです。ああ、全能の主よ！　あなたがこの世界に創ったすべての創造物の中で、あの邪悪な「不幸」ほど忌まわしく、嫌な、害のあるものはありません、何一つ、愛する主よ、何一つ、あの邪悪な「不幸」ほど有害でひどく思えるものはありません。ああ、愛する主よ、我が主よ！　あの邪悪な「不幸」、あの者は、あなたのすべての創造物を引っ繰り返します、あなたが人間に与えられたあなたの惜しみない賜物を、あの邪悪な「不幸」は人間から奪います。［……］ああ、主よ、愛する神よ！　あの邪悪で卑劣な「不幸」が人々を悲しませ、好きなように人々に取り憑くほどの大きな力を、あなたがあの者にお与えになったのは、一体、あの者に何をご覧になったからですか？　私の主にして創造主よ！　もしもあの者があなたによって創られたのならば、あなたの弱くてみすぼらしい創造物である私はもう、あなたの秘められた助言やあなたの意思を求めたくありません。（第一三章）（傍点引用者）[48]

　擬人化された「死」や「不幸」の背後には司牧者が隠れており、更にその背後には神が控えているのではないか？『織匠』の「不幸」は、激しい非難の言葉を投げつける「織匠」に対して、しばしば「親愛なる織匠よ（milý Tkadlečku）」、「善良なる織匠よ（dobrý Tkadlečku）」、「善良にして高潔なる織匠よ（dobrý, ctný Tkadlečku）」、「極めて賢き学徒よ（soběmúdrý žáčku）」、「賢人よ（chytráčku）」などと呼びかけたり、あるいは、恋人を失った悲哀に囚われてそこから抜け出せない「織匠」に向かって「さあ教養人よ、目を覚ませ！　さあ学徒よ、分別を保て！（Ej, literáte, pomni se! Ej, žáčku, buď při paměti!）」[49] などと気づきを促したりしている。このような言葉遣いからしても、「不幸」は単に裁判において原告（＝「織匠」）に対立する被告とは思えない。ここには、敵対者に対する皮肉よりも、教え諭す者（＝司牧者）の「上から目線」が感じられる。

　ところで「織匠」が「不幸」に対して、おまえはどこから来た何者なのだと問うと、「不幸」は次のように答える。

　私は神の手の伝令だ。［……］創造主のあらゆる創造物のしなやかな鞭であり、棒であり、棍棒だ。［……］私は至る所から来るが、どこからも来ない。私が至る所から来るというのは、こんなわけだ――私がいない所、私がこの自分の力と支配をもってとどまらないような所は、いかなる国にも、世界中どこにもないからだ。［……］そして、私がどこからも来ないというのは、私はどこからも何からも生まれていないからだ。私の最初の力と最初の襲撃は、最初の人間アダムが禁断の木の実を食べた時に、彼が私の力によって永遠の死に委ねられた時に、彼において示された。[……]そして今に至るまで、私「不幸」は、「死」の相棒なのだ。その時、私と「死」は、誰一人として私たちの襲撃を免れさせることのないように、世の終わりまで永遠に力と全権を与えられたのだ。そしてこの力を、私たちは天と地の至高の創造主から得ているのだ。（第一四章）（傍点引用者[50]）

このように、「不幸」は、自分はどこからも生まれていないと言っているものの、『ボヘミアの農夫』と同様に、またそれを補完するかのように、「不幸」はアダムの堕罪の時に最初に出現したのであり、「不幸」は「死」の相棒なのだと言っている（この点も、『ボヘミアの農夫』を読んだ者が『織匠』を書いたことの傍証になるだろう）。つまり、『ボヘミアの農夫』も『織匠』も、当然とはいえ、「死」と「不幸」の起源をアダムとイヴの堕罪に求めていて、中世キリスト教神学の枠を超えてはいない。

ソウクプは、『織匠』は「哲学の慰め」をチェコ語（俗語・地域語）化した作品であると同時に、ドイツ語で書かれた『ボヘミアの農夫』に応答して、先行する「慰め」のジャンルの文学的伝統の精神においてそのジャンル的構造を発展させているのだと主張している。そして、その証拠として『織匠』の中の、「不幸」（愛する女に去られた男）は「死」（やもめ）より悲惨なのだという、以下のような一節を挙げ、ここでは本質的に「織匠」が「農夫」と論争しているのだとしている。[51]

おまえは私をやもめ以下の人間に、孤児以下の人間に、追放者以下の人間にした。やもめなら誰でも、自分の慰めを喪ったとき、もはやほかにどうしようもないこと、自分の妻が戻りえないことが分かったとき、彼女のことを悼み、永久にではなくてもしばしは忘れる。しかし、いかにして、私の最愛の、私のこの上なく素晴らしい、私のこの上なく大切な釜焚き女［「織匠」の恋人］を、彼女がまだ生きていて、まだ健康で、まだ力に溢れているというのに、まだ喜びで一杯だというのに――それが私にとってではなく、他の男にとってだとはいえ――、悼むことができようか？　だからなおさら、悲しみ、悲哀、悲嘆、悲痛は大きいのだ！（第一一章）（傍点引用者[52]）

『織匠』という作品は、愛妻を奪った『ボヘミアの農夫』

の「死」を、恋人を去らせた「不幸」に格下げしたパロディーだという見方もあるのだが、ソウクプのように、「死」を「不幸」に替えることで『織匠』は『ボヘミアの農夫』に文学的に応答した作品だと考える方が正しいであろう。ただし、作品としての『織匠』は、『ボヘミアの農夫』と論争しているだけでなく、それ以上に――『織匠』の中で「不幸」が「死」の相棒なのだと言っているように――『ボヘミアの農夫』を補完しているのだと考えられる。直接に死だけではなく、「なんでこんな目に遭わなければならないのか？」という（理不尽な）不幸の感覚も、神が創造した世界の秩序への疑いを抱かせうるものなのである。

チェコの文化人たちがマルチリンガルであったこの時代、ドイツ語文学とチェコ語文学は別個に存在していたのではなく、部分的に融合し、ほとんど直接に繋がっていた。チェコ語文学の作者がドイツ語文学の作者と競合し、その作品に応答したり補完したりする作品を書くことは自然であったのだ。

ところで、弁神論的かつ実存的な問題に関係しているという点で、この二つの作品は、前章でも指摘したように、同時代の美術における「美しいピエタ」と通底する所があるのではなかろうか？　理不尽な不幸をいかに受けとめ、それといかに折り合いをつけるかという問題は、人間にとって普遍的な問題であるが、この時代にこの問題が特にクローズアップされてきたのであろう。教会大分裂（一三七八年）、ペスト感染の津波の到来（一三八〇年頃）、ヤン・フスが説教師として活動を始めた（一四〇〇年）頃からの宗教改革運動と宗教的軋轢の高まりといった、「ヴァーツラフの不穏」の時代にあって、美術において国王・皇帝や王国・帝国の威信を高めるための「皇帝様式」が、宗教的で内面的な「美麗様式」に変わっていったのと相似（パラレル）を成すように、人間の死や不幸に深く想いを致す宗教的で内面的な文学作品が書かれたのである。

そして《クシヴァークのピエタ》に代表される「美しいピエタ」の像が、弁神論的かつ実存的な問題を孕みながらも、特に豊かで装飾的な衣紋や飛び散ったキリストの血痕に表れているように、美術的に装飾的で、表現主義的とも言えるような、人の心に強く訴えかけるやり方で苦悩と悲しみを表現したとすれば、『ボヘミアの農夫』と『織匠』は、それと同様のことを文学において行ったと言えるのではなかろうか？　そしてそれらの作品は、先に指摘した、カレル四世死後の不安定で不安な時代、そして死が身近にあった時代に生まれたものなのである。

一四〇〇年前後のチェコ芸術にはジャンルを超えた共通性があり、『織匠』の言葉の装飾性やリズムは、彫刻や絵画における人物の衣紋や、建築におけるリブ・ヴォールトの模様とも相似性があるように思える。ドイツ語の「農夫（Ackermann）」が比喩的に「文筆家」（鳥の羽根で出来た鋤＝羽根ペンを持った者、言葉を耕す者）を意味するのと同様に、チェコ語の「織匠（Tkadleček）」も比喩的に「文筆家」（鳥の羽根で出来た機織りの杼＝羽根ペンを持った者、言葉を織る者）を意味する。それは単なる比喩ではなく、ソウクプが指摘しているように、チェコの宮廷歌人であったミハエル・ベハイム（一四二〇～七四）やドイツ人の詩人ヨルク・プライニング（Jörg Preining）（一四四〇頃～一五二六／二七）やリーンハルト・ヌンネンペック（Lienhard Nunnenpeck）（?～一五二六以前）のように、実際に機織りの修業をしたり、織匠だった詩人・文筆家たちもいた[53]。高度な技巧を駆使して美しい模様の織物を織ることと、巧みな文章を綴ることには、通底するものがあるのだろう。特に、『織匠』の文章の際立つ装飾性・修辞性は、「美しい聖母」と「美しいピエタ」の、襞が多くて幾重にも折り重なるような複雑な衣紋の装飾性にも対応すると言えるかもしれない。

『ボヘミアの農夫』と『織匠』は、一つには当時の文学的伝統の中で、つまり、スコラ学の伝統がまだ生きていたゴシック時代に盛んであった「論争」のジャンルの伝統に属する作品として、そして修辞学・雄弁術の伝統に属する作品として捉える必要があるだろう。また一つにはキリスト教的な伝統の中で、つまりキリスト教的な弁神論（神義論）の伝統に属する作品として捉える必要があるだろう。また一つには「慰め（consolatio）」の伝統を引く司牧神学との繋がりにおいて捉える必要があるだろう。更にもちろん、二作品が、カレル四世死後の不安定で不穏な時代に書かれたものであることを念頭に置く必要がある。また、『織匠』については、多言語状況にあったゴシック時代のチェコの言語的環境の中で捉える必要があるだろう。つまり、ラテン語という「真実語」（真実を語る普遍語）に対して、チェコ系住民とドイツ系住民が共存していたチェコの俗語・地域語・民族語であったドイツ語で書かれた作品である『ボヘミアの農夫』に対して、『織匠』の作者はチェコ語でも同様の作品を書けること、チェコ語でもラテン語と同様に神学的・哲学的問題を論じられることを、修辞学・雄弁術の技を駆使して示そうとしたのであろう。そして何よりも、この二作品は、いつの時代でも、誰でも、死や不幸に直面した人間は何とかしてそれと折り合いを付ける必要があること、そのような人間には慰め（consolatio）が必要であることを示している。

ラテン語・ラテン文学の素養を持つ者がドイツ語で書い

た作品に対して、同じくその素養を持つと同時にドイツ語もできる者がチェコ語で応答したり補完したりする作品を書く――『織匠』はまさに、チェコ・ゴシック時代の多言語状況の中から生まれた作品なのである。

## 五　演劇――聖と俗、悲劇と喜劇、多言語の混交

「哲学の慰め」の流れを引く『織匠』と対照的なのが、チェコ語の韻文で書かれた『偽医者（Mastičkář）』（一四世紀前半）に代表されるチェコ・ゴシック演劇である。『織匠』が、ラテン語で論じられていた高度な哲学や神学といった「高文化」の要素をチェコ語文学に取り入れたものであり、主として貴族と市民に向けて書かれたと考えられるのに対して、『偽医者』は民衆的な要素をチェコ語文学に取り入れたものであり、主として民衆に向けて作られたと考えられる。『偽医者』は、チェコ語文学において初めてルビーンという最下層出身者が主要登場人物となっている点も特徴的である。

そもそも中世演劇には主に二つのジャンルがあり、一つはキリスト教の典礼から発展したもの、もう一つは即興で演じられるか口承されてきたものであった。そして前者のうち最も古いものは、三人の敬虔なマリアがキリストの遺体に香油を塗るためにキリストの墓に赴くという、復活祭の「聖墳墓訪問」の劇であったと言われる。[54]

「三人のマリアの聖墳墓訪問」の劇は、『新約聖書』「マルコによる福音書」一六―一・二の「安息日が終わると、マグダラのマリア、ヤコブの母マリア、サロメは、イエスに油を塗りに行くために香料を買った。そして、週の初めの日、朝ごく早く、日の出とともに墓に行った」[55]というエピソードを元にして作られている。

（断片的にせよ）現在まで残っているチェコ・ゴシック演劇のうち最も注目すべき作品である『偽医者』も、このような「三人のマリアの聖墳墓訪問」の劇だが、この作品において神聖なものと世俗的なもの、深刻で悲劇的なものと滑稽で喜劇的なものが混在している様は、驚くべきものである。この作品は、元々教会や修道院で演じられていた復活祭の劇が、教会や修道院の外に出て世俗化したものと考えられるが、ミハイール・バフチーンが論じた中世の「民衆の笑いの文化」、「自由な復活祭の笑い」、広場で笑う民衆のための「広場的文化」の実例と言えよう。バフチーンによれば、この文化は民衆の中で非常に長い伝統を持つもので、公式の生真面目な教会的・封建的な中世文化と対立し、罵詈や卑猥な悪口を特徴とする無遠慮な広場の言葉を用い、「上」にある高貴なものを、生殖器官・腹・尻とい

う「下」へと引き落とし、格下げするものである。[56]

『偽医者』のように、聖人・聖女ばかりかキリストさえもパロディー化したり、聖なるものを滑稽にしたり、卑猥な要素を混入させたりした演劇は、当然のことながら教会の上層部を憤慨させ、そのような演劇を教会から閉め出し、聖職者がその上演に参加することを禁止するようになった。しかしながら、禁止が繰り返されたということは、それを容易には根絶できなかったということを示している。

『偽医者』は、イエス・キリストの死の直後という、キリストを崇拝する者にとっては最も辛く暗い時期に、三人のマリアがキリストの遺体に香油を塗ろうとしてその墓へ行く途中、町の市場で偽医者（膏薬売り mastičkář）セヴェリーンが彼女たちに偽膏薬を高く売りつけようとし、その手助けをする助手のルビーンが法螺を吹きまくる――しかし同時に偽医者を茶化したり、偽膏薬をけなしたりもする――という話である。

町の市場で、助手のルビーンは自分の師匠の偽膏薬を褒め、まるで日本の蝦蟇（がま）の油売りの口上のように、べらべらと能書きを述べ立てる。

（賢くて高名なお医者様は）貴重な膏薬もお持ちで、
それは遠い国から持って来られたものです、
その膏薬で、ありとあらゆる病気を、
どんなに大きな傷でも
たちどころに治してしまうのです。
［……］
刺されたり、切られたり
棍棒で打たれたりした者、
または耳の中に熱がある者は、
私の先生の所に謝礼を持って来れば、
先生がこんな風に教えてくれます――
体に塗ると、犬みたいにきゃんと鳴いて、
それから急に体をぴんと起こすでしょう。[57]

エロティックな暗示も多く、どうやら、ある膏薬は精液で作られていて、勃起不全に効くらしい。

そしてこちらの膏薬は、修道士が修道女の上に座って、
厠（かわや）で作ったものです、
あなた方の誰でも、それを試してみる者は、
半分、物乞いの杖みたいに突っ立つでしょう。[58]

下品な下ネタも出て来る。

先生、私はあの場所で人々を治し始めました、
するとと、私の鼻先で、婆さんたちが屁をひり始めたんです。[59]

下ネタは、一種の罵り言葉としても使われている。

親愛なる先生、あなたはいつも私に怒鳴ります
そしてご自分の怒りで私に食ってかかります！
あなたは偉大な医術に通じておられますが、
でもだから、糞のかけらさえ、もうお持ちでない。[60]

偽医者は、三人の女が町に来て良い膏薬を探していることを知って、助手のルビーンに、彼女たちの所へ行って自分の方に来させるように言う。
　三人の女、即ち三人のマリアは、チェコ語を話すが、ラテン語でも、イエス・キリストを喪った悲しみと苦悩について、次のような真剣で深刻な歌を歌う。

（第一のマリア）
Omnipotens pater altissime,
angelorum rector mitissime,
quid faciemus nos miserrime?
Heu, quantus est noster dolor.
全能にして至高の父よ、
天使たちの最も慈悲深い支配者よ
この上なく惨めな私たちは、どうすれば良いのでしょうか？
ああ、私たちの苦悩はなんと大きなことでしょう！

（第二のマリア）
Amisimus enim solacium,
Iesum Christum, Marie filium.
Ipse erat nostra redempcio.
Heu, quantus est noster dolor!
なぜなら、私たちは慰めとなる人を失ったからです、
イエス・キリスト、マリアの息子を。
あの方は私たちの救いでした。
ああ、私たちの悲嘆はいかに大きいことでしょう！

（第三のマリア）
Sed eamus unguentum emere,
cum quo bene possumus ungere

corpus Domini sacratum.

けれども、私たちは膏薬を買いに行きましょう、
主の聖なるお体に
よく塗ることができるような。[61]

イエス・キリストを喪って嘆き悲しむ三人のマリアたちに、偽医者は自分の膏薬を買ってイエスの体に塗るように勧める。そして偽医者は、助手のルビーンに言いつける。

すぐに、死んだ男を捜しに行きなさい
この婦人たちに実演してみせるために
そして私の膏薬を賞賛するために。

するとルビーンは、息子を喪って悲嘆に暮れているユダヤ人のアブラハムと一緒に､彼の息子のイザーク（イサク）の遺体を運んで来る。アブラハムは偽医者に、息子を生き返らせてくれるように懇願し、そうしてくれたら大金を出すと言う。

悲しい私は、ここのあなたの所にやって来ました、
悲嘆のあまり私は茫然自失しています！

だから、あなたに切にお願いします、
私の息子に、死者の中から起き上がるように命じてください。
私はあなたに、金をどっさり差し上げるでしょう。
死んでしまいました、可哀相な子が！[62]

偽医者がアブラハムに、金に加えて娘のメチャもくれたら治してやると言うと（偽医者は妻帯者である)、アブラハムは喜んで娘を差し上げると約束する。そこで、偽医者は死んだはずのイザークに、神の名においておまえに膏薬を塗ってやると言って、起き上がるように命じる。そしてイザークの尻（肛門）に怪しげなものを注ぐと、イザークは自ら立ち上がって言う。

あーあ、あああ、あーあ、ああ！
先生、何と長いこと、私は眠ったことでしょう。
けれども、私はまるで死者の中から起き上がったかのようです、
それに、あやうく、うんちを洩らすところでした。
ありがとうございます、先生、
私にたっぷりどっぷり、やってくださって。
ほかの先生方は、自分たちのやり方で

膏薬を頭に塗ります。
けれども、先生は、私に良く合いました、
お尻じゅうに膏薬をかけてくださって。[63]

この糞尿譚(スカトロジー)的な偽芝居は、ラザロを死者の中から蘇らせたイエスのパロディーであり、またイエスの復活自体のパロディーとも受け取れる。

こうして偽医者は、三人のマリアたちの前でユダヤ人の息子を生き返らせてみせてから、自分の膏薬について、これは海の向こうのヴェネツィアから持って来たもので、ありとあらゆる病気を治す力を持つ薬だと言って、彼女たちに売りつけようとし、悲しみに暮れているあなた方が可哀相だから値段を負けておきましょうと言う。

すると、そこに偽医者の上さんがしゃしゃり出てきて、旦那に、あんたは若い娼婦たちに気に入られようとしているのか、それで膏薬を負けようとしているのか、と問い詰める。それに対して偽医者は、おまえは酔っ払っているから下らないことを言うのだと言って、黙らなければビンタを食らわすと脅す。上さんは怒鳴りだし、あんたなんか悪魔たちにくれてやる、などと叫び、互いに口汚く罵り合って喧嘩になり、偽医者は上さんをぶっ叩く。

『偽医者』で使われている言語も、興味深い。この劇には民衆が使う普通の（古）チェコ語だけでなく、下品なチェコ語の罵り言葉、そして聖歌を歌う時は高尚で神聖な言葉であるラテン語、更に歌の中にはチェコ語とラテン語の混成語が現れ、部分的にドイツ語のパロディーも出て来る。例えば偽医者は、こんな風におかしなドイツ語を使う。

偽医者が呼ぶが、ルビーンの返事がない：
ルビーン、ルビーン！
もう一度呼ぶ：
ルビーン、おまえはどこだ（vo pistu）？
ルビーンが答える：
ほら、先生、雌犬［娼婦］のけつを摑んでいるですよ。
偽医者はまた呼んで言う：
ルビーン、おまえはどこに行っていたんだ（vo pistu kvest）？
ルビーンが答える：
ほら、先生、毛深い雌犬［娼婦］の尻をね。[64]

ここで「vo pistu」はドイツ語の「wo bist du」、「vo pistu kvest」は「wo bist du gewesen」のパロディーである。
また、ルビーンとポストルパルクが一緒に歌う歌では、一つの詩の中にチェコ語とラテン語が混在している。

ほら、ヒッポクラテス（Ypokras）先生があなた方の
　所へやって来ました
神の恩寵により（de gracia divina）、
今、医術において（in arte medicina）、
先生より悪い者はいません。
何かの病気に冒されている者で、
生きていたい者は、
先生に治してもらおうとして、
魂をなくすに違いありません。[65]

このように、この作品は言語的な混交が見られるという点でも注目すべき作品であり、先に述べたチェコ・ゴシック時代の多言語状況を興味深い形で反映していると言えよう。また、決して生真面目なキリスト教一色ではなかったゴシック時代の社会の実体を垣間見せる作品としても興味深い。

『偽医者』においては神聖なものと世俗的なもの、深刻で悲劇的なものと滑稽で喜劇的なものが混在しており、キリスト教的なものの中に卑猥なもの、糞尿譚（スカトロジー）的なものがグロテスクに混入しているが、しかしながら、これを現代人の感覚から、全く相容れないものがただごた混ぜになったものと捉えるとしたら誤解になるかもしれない。ヤルミラ・ヴェルトルスキーは、中世の演劇において喜劇と宗教は有機的に結びついていたのかもしれないと主張している。ヴェルトルスキーによれば、喜劇的な要素は、素朴な観客の注意を引きつけ、厳粛なメッセージを吸収する手助けをするために教会によって使われていた仕掛けであり、教義の丸薬にまぶした砂糖のようなものと見なされていた。[66] そして、中世の教会堂はあらゆる種類の野放図で不敬な活動に舞台を提供していたのであり、『偽医者』が広場で演じられたという確かな証拠はなく、教会堂の中で演じられた可能性もある、としている。[67]

先に、生真面目な公式の教会的・封建的な中世文化と対立する「民衆の笑いの文化」、「広場的文化」というバフチーンの説を挙げたが、実は、アーロン・グレーヴィチは、『中世民衆文化の諸問題』の最終章（第六章）「『上』と『下』——中世のグロテスク」において、バフチーンの説を踏まえながらもそれを批判し、ルネサンスの作家ラブレーの作品に依拠したバフチーンは二つの文化をあまりにも対立的に捉えすぎているのであり、ルネサンス以前の中世文化において両者はそれほど単純な対立の関係にはなく、むしろ一体的なものだったとして、非常に興味深い説を展開して

いる。グレーヴィチによれば、逆説性、奇妙さ、矛盾は、中世的意識の不可分の有機的特徴であり、中世の「公式」の文化はバフチーンが言うほど一枚岩的に生真面目で硬直したものではない。[68]グレーヴィチは更に踏み込んで、そもそも、「一方における極端な生真面目さや悲劇性と、他方における最大限の格下げへの傾向との統合は、既に、神的なものと人間的なものがその極端な表れにおいて合体した神の化肉（托身・受肉）という思想に基づいた、キリスト教の教義自体から生じたものである」[69]と指摘する。「厩で生まれ、汚くて屈辱的な虐待の後に、奴隷的なはずかしめの死刑に委ねられ、死を前にした苛酷な憂悶と『神に見捨てられた』という感覚を経験し、泥棒たちと一緒に死んでゆく神。至高の美の象徴としての、十字架に架けられ、血を流し、ひどく傷つけられた彼の身体。キリスト教を貫く、精神的な謙卑、肉体的な苦しみ、貧しさ、地上的な喜びの拒絶の崇拝。肉体的な無力さにおける精神的な力の開示。――この原理的で高めるような『卑しめ』は、キリスト教において、信仰と理性の不一致、非両立性という、それに劣らず驚くべき逆説と結びついている」。「キリスト教に固有の、肉体と霊との対立、地上世界と天上世界との対立は、中世の美学、とりわけ、美術にも文学にも広く適用されたグロテスクにも表れた」[70]。「中世のグロテスクは世界観の『二世界性』に根ざしていたが、その世界観は地上世界と天上世界を突き合わせ、この完全な対立物をぶつけ合わせ、接近し難いものを最大限に近づけ、一つのものとして考えることができないものを結びつけようとしたのである」[71]。グレーヴィチによれば、「グロテスクは中世人一般の思考様式だったのであり、それは下方の民衆文化的なレベルから公式の教会的なもののレベルに至るまで、文化のすべての層を包含していた」。両者は完全に一致するものではないものの、両者の間には少なからず共通のものが存在したのである。[72]

　グレーヴィチは中世ラテン語文学の分析に基づいてこのような説を唱えているのだが、グレーヴィチの説は、ラテン語・ラテン文学の教養のある者がラテン語も交えながら作った『偽医者』のような、キリスト教的な中世チェコ語文学にもある程度当てはまるものと言えよう。そして一般に中世ゴシック文化において現代の我々には理解しがたく、矛盾し対立するものの無秩序な混在のように思えるものについても、このような観点からすると理解が開けてくるように思われる。

　ところで、ゴシック音楽においても、『偽医者』と同様のラテン語と俗語の混在、神聖なものと世俗的なものの混在が見られる。ゴシック音楽については後述するが、ゴシック音楽においては、特にノートル・ダム楽派においてオルガヌム（対旋律）音楽が発展し、ラテン語で歌われる（単旋律の）グレゴリオ聖歌にフランス語で歌われる自由な声部を加えた曲が歌われるようになった。

阿部謹也によれば、「グレゴリオ聖歌に代表されるような一律に人間世界を単声音でとらえてゆくモノフォニーに対して、それらを妨害するかのような俗謡におけるさまざまな音楽や音の世界があった。後者は教会が排除しようとしていたものであるが、排除することはとうてい困難なものであった。修道院長ですら悪魔の使徒とされた遍歴楽師を院内に入れてときに楽しんでいたと伝えられているのである。民間の俗謡を排除することが不可能であることが解ったとき、のこされた道はそれらを部分的にとりこみながら、あくまでもキリスト教的な基調音で全体の調和をはかることであった」。キリスト教会の教義において悪魔の手先とされた民間の芸人たちの音楽は、グレゴリオ聖歌のモノフォニーとは馴染まない音や声であったが、修道士たちはそれを部分的に取り込んだ。フランスの俗謡を取り込んだモテットは、その早い例であろうという[73]。モテットは、ホイジンガによれば、「三声部それぞれに異なる歌詞を歌いあわせることをもって原則とする。これが、しだいに堕落してきて、この時代、とんでもない組みあわせが、平気でうけいれられるようになっていた。ミサ曲のなかに、『接吻してちょうだい』とか『赤鼻』とかの世俗歌謡が組みこまれ、ミサの最中、典礼歌詞にまじって、そんな歌の文句が鳴りひびくという事態が出てきたのである」[74]。

一つの曲の中にラテン語で歌われる聖歌の声部とフランス語で歌われる俗謡の別の声部が混在するというのは、ゴシック演劇における複数の言語と聖俗の混在という現象と相似（パラレル）を成すものと言えよう。そして、チェコ・ゴシック演劇における、聖なる言葉であるラテン語と、俗語・地域語・民族語であるチェコ語やドイツ語の混在は、言語的な聖俗混交と捉えることができよう。

## 六　チェコの宗教改革とゴシック文学

前述のように、カレル四世時代のチェコで宗教改革の先駆的な運動が起こったが、この運動はチェコの宗教と社会のみならず、言語・文学・文化一般をも変えていった。この宗教改革的（ないし異端的）運動と結びついて、チェコ文学、特にチェコ語を用いるチェコ語文学が発展し、多くの著作がチェコ語で書かれるようになった。そして散文が中心となってチェコ語で宗教的論説や説教集が書かれ、韻文ではチェコ語で聖歌が作られた。

カレル四世時代にオーストリアからプラハにやって来たドイツ人説教師コンラート・ヴァルトハウゼルが、聖職者と学生とドイツ系市民のためにラテン語とドイツ語で説教を行ったのに対して、その後継者であるチェコ人説教師クロムニェジーシュのヤン・ミリーチは、ラテン語とドイツ語以外に、主としてチェコ語で説教や著述を行い始めた。ミリーチの影響を受けたトマーシュ・シュチートヌィーは、広い民衆層に働きかけようとして、ラテン語ではなくてチェコ語で『キリスト教の全般的な問題についての六巻の書』(一三七六年)、『対話の言葉』(一四世紀末頃)などを著した。

更に、ヴァーツラフ四世の時代になると、ヤン・フスを主導者として本格的な宗教改革運動が起こった。フス派は聖職者と平信徒との平等を求め、広い階層の人々に訴えかけたので、当然、ラテン語のできない人々のためにチェコ語で説教を行ったり著作を書いたりするようになった。フスは初めはラテン語で書いていたが、後にチェコ語でも執筆するようになり、主として学問的・神学的な著作をラテン語で書き、一般向けの著作はチェコ語で書くようになった。

このようなラテン語とチェコ語の機能的な使い分けは、フスのみならず彼の同時代人たちにも見られる。ドイツ語は、一四三〇年代初めにはまだラテン語と並んで外国向けのフス派のマニフェストにおいてプロパガンダの言語として用いられていたが、その後チェコでは長い間姿を消すことになった。それは、二言語的環境にあった都市から、ドイツ人の都市貴族がフス派によって追放されたことと関係があると言われる。[75]

フスの代表的な著作としては、フスが影響を受けたイギリスのウィクリフの著作『教会について(De Ecclesia)』(一三七八年)に繋がって、教皇を頭にした制度的教会ではなく、キリストを頭にした信者たちの共同体としての教会についてラテン語で論じた同名の神学的著作『教会について(De Ecclesia)』(一四一三年)、広い階層に向けてチェコ語でローマ教会の歳入優先主義や財産と権力の集積を批判した『日曜の聖なる読物の解釈(説教集)』(一四一三年)などがある。彼は自らの教えをチェコ語で広めようと決めると、チェコ文語を改良し洗練することにも努めた。ラテン語で書かれた最初のチェコ語正書法規則集『De orthographia Bohemica』は、フスか彼に近い者が書いたと考えられている。

フス運動から出てきた、チェコ・ゴシック時代の恐らく最も独創的な著作家が、ペトル・ヘルチツキー(一三九〇頃～一四六〇頃)である。彼は、悪に対する無抵抗を唱えた急進的な平和主義的思想家であり、チェコ語で大部の『信仰の網』（一四四〇年以降頃）などを著し、後にフス派から分離することになるチェコ兄弟教団の成立に影響を与えた。

チェコの宗教改革においては、その萌芽の段階から既に、国家権力と一切の暴力を否定し、悪に対して力で抵抗してはならないとする非暴力主義・無抵抗主義の思想が存在していた。

ウィクリフが、教会を使徒の時代の清貧に戻すために国家が教会の財産を没収して宗教改革を推進する権利を積極的に認めたのとは逆に、ヤン・ミリーチの弟子であったヤノフのマチェイは、国家を単なる警察的・法律的国家として捉え、国家とキリスト教はその使命と性格を原理的に異にすると主張し、宗教的事柄への国家の介入を認めなかった。マチェイにとって、キリスト教の本質は、「マタイによる福音書」第五章の精神における悪への無抵抗であった。また、そこに表明されている宣誓の禁止と、死刑と戦いの否定をも、彼は一貫して受け入れた。そして、そのようなキリスト教は多くの世界を一つに統一することができると、彼は確信していた。

マチェイが表明したこのような国家と暴力に対する否定的立場は、急進派（ターボル派）が自分たちの拠点として築いた町ターボルを中心として南ボヘミア地方に広がった民衆的運動の主要な特徴の一つとなった。しかしながら、カトリック派の神聖ローマ皇帝ジギスムント（ジクムント）が登場し、フス派に対する十字軍が宣言されると、当初あらゆる暴力を否定していた忍耐強いアナーキストたちの大部分が、神の法と民族の存在を守るための聖戦に命を捧げる「神の戦士」に変わった。

しかしながら、このような潮流に抗して古い原理に固執した者たちも、少数ながら存在した。そして、そのようなチェコの宗教改革の民衆的潮流の元来の方向を代表し、代弁し、それを非妥協的に押し進め、発展させたのが、ヘルチツキーであった。

ヘルチツキーは、果てしない戦争がもたらした社会的・道徳的惨状と、農民層を最も過酷に襲ったその災禍を身近に観察して苦い思いを重ねるに従って、古い原理を発展させ、深め、徹底させ、より明確に宣言するようになった。そして、とりわけ、たとえ正義を守るためであろうとも一切の戦いをしてはならず、悪に対して力で抵抗してはならないという非暴力主義・無抵抗主義の思想を断固として主張した。それによって彼は、穏健派のプラハ派とも急進派のターボル派とも決別して、独自の立場に立つことになった。

　ヘルチツキーはチェコで初めて、権力の本質と、個々の身分の間の関係における暴力の役割を洞察した思想家であった。それ故に、彼は物理的な戦いを否定すると同時に、『三種の人間について』において、教会が昔から社会の階層構造の不可変性を正当化するのに役立ってきた三身分思想――「祈る人」（聖職者）・「戦う人」（騎士）・「働く人」（農民）の区別――を徹底して否定し、人々の間に不平等を生じさせる一切の身分差別と階層構造と権力支配を否定した。チェコの哲学者ヤン・パトチカは、ヘルチツキーのことを「恐らく中世に現れた最もラディカルな反階層構造的見解の持ち主[76]」と評している。

　ヘルチツキーの思想の集大成とも言える『信仰の網[77]』において、彼はまず、「ルカによる福音書」第五章でイエスがペテロに「人間をとる漁師になれ」と言う漁の逸話をモチーフに取り、漁師を使徒や説教師、網を信仰、海を罪深い世界、魚を人々、そして、網を破いてしまう魚を似非キリスト教徒と見なして論を進める。

　ヘルチツキーによれば、キリストは弟子たちを使って、信仰の網の中に世界を捉えたが、そこに二頭の鯨が入って来て、網を破ってしまった。そして、この鯨が開けた穴から他の魚たちも逃げ去り、網の中はほとんど空になってしまった。信仰の網を破いた二頭の鯨＝破壊者こそ、ローマ皇帝コンスタンティヌスとローマ教皇シルヴェステルである。教皇シルヴェステルは異教徒であったコンスタンティヌス帝をキリスト教徒として認め、その見返りとして教皇は皇帝から地上的権力を認められた。この時以来、皇帝の権力と教皇の権力は互いに支え合い、絡み合い、もち上げ合うことになり、キリスト教とは無縁な異教的国家が教会と結びつき、神の法を実現すべき教会の中に人間の法が入り込み、平等であるべきキリスト教徒の間に身分差別が入り込み、神ではなく人間に由来する様々な制度がもち込まれ、神と人間との直接的な関係が破壊され、キリスト教徒によるキリスト教徒の支配が始まった。教皇シルヴェステルは清貧と労働と説教の生活をやめ、その代わりに、罪を許す権力が自分にあると不当にも思い込み、ローマへの巡礼と贖宥状の販売を始めて金銭を得、キリストその人によって定められた両形色による聖体拝領を廃止した。地上的権力と教会を結びつけたことにおいては、皇帝と教皇の両者に罪がある。この二頭の鯨によって原始教会の完全さが損なわれ、教会に腐敗が持ち込まれたのである。

　ヘルチツキーによれば、人間に由来する世俗的権力と神に由来する教会は、本来全く相容れないものである。前者は強制によってその目的を達成しようとするのに対して、後者は自発的な善行と忍耐を伴う愛を求める。もしも全人類がキリストに従い、世界がキリストの計画に従って整えられるならば、地上的な組織、即ち王室、国家と役所、軍隊と官憲は全く必要なくなるであろう。ヘルチツキーにとって、国家は組織された暴力以外の何物でもない。国家は犯罪者に刑罰を科すが、それは実のところ復讐である。しかしながら、神の法は復讐を禁じている。国家と教会は非常に根元的な対立物なので、両者は決して和解できず、両者の唯一可能な関係は、完全な分離である。

ヘルチツキーの著作の特徴は、抽象的な神学的議論だけでなく、具体的な生活実践を論じて社会を非常に生き生きと描写し、痛烈な社会批判を行っていることである。『信仰の網』において、彼は農村の農民の立場に立って、貴族、都市民、聖職者、学者を痛烈に批判している。

『信仰の網』の第二章以下で、ヘルチツキーはまず、一切の身分差別は聖書のどこでも正当化されていないとして貴族階級を否定し、自分の高貴な生まれと馬鹿げた紋章を誇り、奢侈な生活を送る貴族階級を批判する。

次に、第五章以下で、カインに由来する都市を否定し、都市の組織は、強奪と暴力と殺人と買収と高利貸しと詐欺以外の何物でもないとする。都市と城は、不誠実に得た財産を危険から守るためにのみ作られたものである。ヘルチツキーは、「復讐は我にあり、我これに報いん」という聖書の言葉を根拠に、防衛のために力を用いることも否定する。また、裁判での争いをやめるように命じたキリストの教えを根拠にして、異教的な法に基づいて裁判をすることも否定する。また、真のキリスト教徒は商売をするべきではない。なぜなら、商売は利益を追求して人を騙すことを強いるからである。また、真のキリスト教徒は一切の地上的権力に関与してはならない。キリスト教徒は政治に関与してはならず、長官や兵士にもなれず、地主や商人にもなれず、農民か職人にしかなれない。

次に、第七章以下で、働かないで贅沢をしている聖職者階級を否定する。彼らは清貧を誓いながら奢侈の生活を送り、教会を華美に飾り、民衆を罠にかけるために巨大な虚飾をもって儀式を行っている。

次に、第一五章以下で、大学の学者たちを批判する。大学の学者たちはキリストの信仰の擁護者ではなく、神の法の曲解者である。学問のある者たちは、その学問を、信仰と真実を抑圧するために用いている。彼らは、「信仰と神の法を守るために勉強しているのではなく、自らの狡猾な学問によって信仰を損ない、罠を仕掛けるために勉強しているのである」[78]。

次に第一七章以下で、教区司祭を批判する。彼らは、本来非常に重要な「魂の世話」をすべきなのに、アンチキリスト（＝教皇）の官吏・手先となって、アンチキリストによる地上の支配を支え広げている。「魂の世話」は金で買われ、聖物売買が行われている。これは、コンスタンティヌス帝に発する、富への魂の隷属の結果である。

このようにヘルチツキーは、暴力に由来する国家権力と結びついたキリスト教会と、それらと癒着した社会秩序を徹底的に批判し、その権威を否定した。ヘルチツキーによって、カトリック教会とその代表者たちは思想的に完全に転覆され、その権威は地に落とされ、彼らにいかなる表現を向けることも可能になったと言えよう。

そのような意味では、カトリック教会とその代表者たちに向けられた民衆的な風刺も興味深い。いわゆる第三階級、下層市民層と農村の民衆が主な受容者となったフス派のチェコ語文学の周辺では、戯れ歌のような風刺詩なども生まれた。例えば、第五代プラハ大司教ハズムブルクのズビニエク・ザイーツ（一三七六頃～一四一一。プラハ大司教在位一四〇三～一一）がウィクリフの著作を焚書にしたことをめぐって、次のような「蒙昧ウサギ（ザイーツ）司教（Zajíc biskup abeceda）」（一四一〇年以後）という風刺詩が作られた（チェコ語の「ザイーツ（Zajíc）」は「ウサギ」を意味する）。

Zajíc biskup abeceda
spálil knihy,
nic nevěda,
co je v nich napsáno.

無知蒙昧のウサギ（ザイーツ）司教が
本を燃やした、
そこに何が書かれているのか、
全く分からずに。

## 七　チェコ・ゴシック音楽――音楽の土着化

チェコでは、九世紀にギリシャ人学僧コンスタンティノスとメトディオス（キュリロス、キリル）がもたらしたビザンチンの東方典礼を排除しようとしたフランク人聖職者たちによって、既にゴシック時代以前の一〇～一一世紀に、ラテン語で歌われる単旋律のグレゴリオ聖歌が導入されていて、ゴシック時代のチェコでも、そのようなラテン語のグレゴリオ聖歌が一般的になった。[79]

しかしながら、チェコ語で歌われる聖歌もあり、知られている限りその最古のものが、「主よ、我らを憐れみたまえ（Hospodine, pomiluj ny）」である。これは前述のように、恐らく一〇世紀中葉に古教会スラヴ語で作られた作品がチェコ語化していったものと考えられ、祈りの詩であると同時に聖歌でもある。二番目に古いのは、これも祈りの詩であると同時に聖歌でもある、前述の「聖ヴァーツラフよ（Svatý Václave）」である。

　チェコのゴシック時代には、ドイツ語の世俗歌も歌われた。前述のように、一三世紀前半には、ドイツ人の「ミンネゼンガー（宮廷歌人）」が、特にプシェミスル家のヴァーツラフ二世の宮廷や貴族の宮殿で活躍するようになった。

　一四世紀のルクセンブルク家の時代になると、チェコ音楽は、宗教音楽も世俗音楽も発展した。ルクセンブルク家のヨハンの宮廷には、まだドイツ人のミンネゼンガーたちの残響も響いていたし、同時代のフランス音楽の最も重要な創造者であるギヨーム・ド・マショー（一三〇〇頃～七七）も登場した。[80]フランス出身のマショーは、特に『ノートル・ダム・ミサ曲』で知られるアルス・ノーヴァ（新技法）の代表的な作曲家であり、ゴシック時代のヨーロッパで最も重要な作曲家の一人にして詩人である。外交官でもあった彼は、ルクセンブルク家のヨハンの秘書として、ヨハンと共にチェコを始めヨーロッパ各地に赴き、「チェコ王の審判」というヨハンへの頌歌も書いている。ヨハンの死後は、ヨハンの娘（カレル四世の姉）で、後のフランス王ジャン二世に嫁いだイトカ（ボンヌ）に仕えた。

　ルクセンブルク家の時代にはチェコで新しい聖歌も作られ、特に聖母マリア、更に聖ヴァーツラフを始めとするチェコの守護聖人に捧げられた歌が作られた。前述のように、第三代プラハ大司教イェンシュテインのヤンは、ラテン語詩人にして作曲家でもあった。熱心な聖母マリア崇敬者であった彼は、特に聖母マリアに捧げるラテン語の聖歌を作ったが、それらは単旋律のグレゴリオ聖歌様式の、素朴で澄んだ響きの歌である。[81]ルクセンブルク家の時代には多声音楽も作られ、[82]ノートル・ダム楽派の多声音楽の様式で、一四世紀中葉のプラハにおいて『プラハのディスカントの書（Liber discantorum operis Pragensis）』が作られた（現在は失われている）。[83]

　民衆的なチェコ語の聖歌も歌われたが、代表なものとしては、ヨーロッパに広く広まった復活祭の歌のチェコ語版で、カレル四世の時代にチェコに広まった「全能の神（Buoh všemohúcí）」と、一四世紀後半に作られたと考えられている古チェコ語の聖歌「寛大なる大公、イエス・キリストよ（Jezu Kriste, ščedrý kněže）」がある。[84]

　フス運動の時代には、ラテン語の聖歌や世俗的な抒情詩

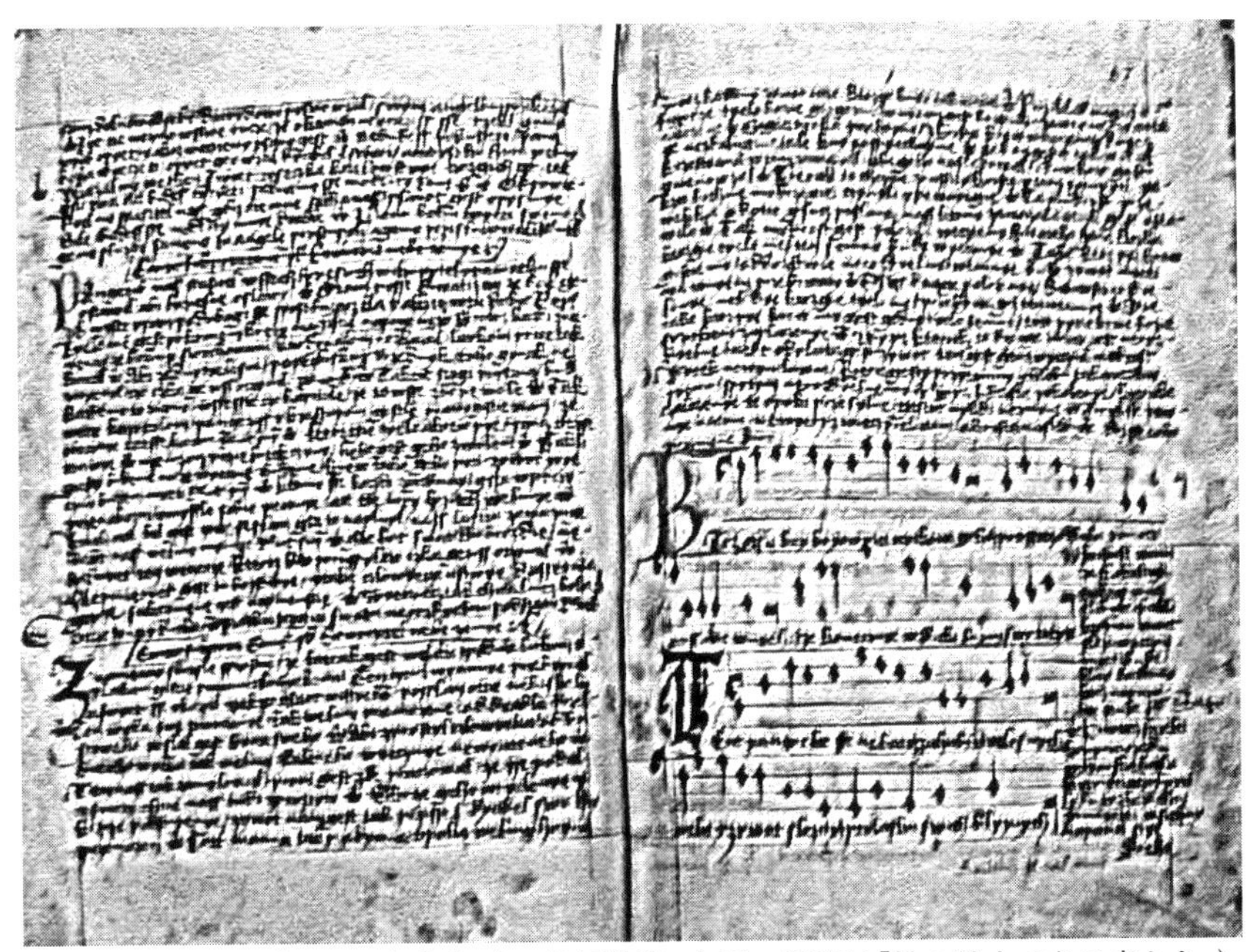

図4-2　『イステブニツェ聖歌集』(15世紀前半。右頁の楽譜は「神の戦士である者たち」)

の歌や多声音楽が後退し、誰にでも分かりやくて、革命的な状況と結びついた、チェコ語の聖歌が広まった。フスは、ベツレヘム礼拝堂でミサの前に会衆にチェコ語の聖歌を歌わせたが、それは以前からあった歌——「主よ、我らを憐れみたまえ」と「聖ヴァーツラフよ」——などと共に、フスが自ら作った新しい聖歌であった。また、急進派のヤン・ジェリフスキーは、一四一九～二二年の間、自分が司祭を務めていたプラハ新市街の「雪の聖母マリア教会」において、典礼の言葉と典礼の際に歌われる歌をチェコ語にした。

フスの死後にチェコ語の聖歌が盛んに作られるようになったが、新たに創作された聖歌と共に、ラテン語の歌詞をチェコ語にして改作したグレゴリオ聖歌も広まった。一五世紀には、フス派教会で歌われる多声の聖歌も発展した。[85] ラテン語という「真実語」で歌われていた聖歌のチェコ語化、即ち俗語・地域語・民族語化は、フス派が成し遂げた大きな変革の一つであり、ルターがドイツ語で同様の試みをするより約一世紀早いものだった。特に急進派のターボル派は、カトリック教会の典礼体系（ラテン語の歌とラテン語のミサの言葉）を拒否して、チェコ語の聖歌を作った。

フス派のチェコ語の聖歌は、『イステブニツェ聖歌集（Jistebnický kancionál）』（一五世紀前半）に収められている。史料として非常に貴重なこの聖歌集は、フス派の急進派（ターボル派）が創設したターボルの町近郊の、ターボル派と繋がりの深いイステブニツェ村の司祭館の屋根裏で、一八七二年に発見された。この聖歌集には、ゴシック時代のチェコ語の典礼の歌（昇階誦、交唱聖歌、祈禱）と聖歌と軍歌が収められている。ラテン語の歌をチェコ語にしたものが多いが、フス派が新たに作ったチェコ語の歌も含まれている。この聖歌集は、音楽の土着化をはっきりと示すものと言えよう。

『イステブニツェ聖歌集』に収められている聖歌のほとんどには作者の名前が記されていないが、例外的にヤン・フスの名前が示されているものが二つ（「イエス・キリスト、惜しみない司祭よ（Jezu Kriste, štědrý kněže）」「敬愛するキリストよ、我らを訪れたまえ（Navštěv nás, Kriste žádúcí）」）、ターボル派の司祭ヤン・チャペック（?〜一四四五以後）の名前が記されているものが二つ（「そう、真の信仰を持つキリスト教徒たちよ（Nuž, křesťané viery pravé）」「神の名において行動しよう（Ve jméno božie počněme）」）あり、更にチャペックの名前がアクロスティックで隠されているものが一つ（「神の戦士たる者たち（Ktož jsú boží bojovníci）」）ある。

このうち、興味深いことに、フスの作った「敬愛するキリストよ、我らを訪れたまえ」では、この世に降りたイエス・キリストが辱められ酷たらしく十字架に架けられたことが歌われ、「イエス・キリスト、惜しみない司祭よ」でもイエス・キリストの磔刑の酷たらしさが歌われていて、グレーヴィチが指摘したような「精神的な謙卑、肉体的な苦しみ」、「高めるような『卑しめ』」が強調されている。前述のように、フスは美しい聖女たちの像に対する警戒の根拠としてイエス・キリストの磔刑の酷たらしさを強調していたが、ここでもそれを強調しているのである。また、「イエス・キリスト、惜しみない司祭よ」では、慈悲深い聖母マリアの取りなしの力が歌われていて、聖母マリア崇敬を否定した後のプロテスタントとは異なり、フスはカトリックと同じように聖母マリアを崇敬していたことが分かる。歌詞の一部は、以下の通りである。

敬愛するキリストよ、我らを訪れたまえ

（ヤン・フス作）

二

それ故に、あなたは処女の胎に入り、
神でありながら、あなたは慈悲深かった、
貧しく、青ざめ、我々のために打たれ、辱められ、あなたのお顔は、傷だらけにされ、唾を吐きかけられて。

三

血の汗にまみれ、
あなたは、冒瀆的な悪党と共に磔（はりつけ）にされた、
嘲笑、涕泣、叫喚、死に、あなたは勇敢に耐えられた、
そのようにして、あなたは我々を死から贖われた。

イエス・キリスト、惜しみない司祭よ

（ヤン・フス作）

一三

ああ、我々のためにおぞましく唾を吐きかけられ、
十字架に架けられたイエスよ、
それ故に、あなたの恩寵により、
我々に対して慈悲深くあれ。

一四

ああ、慈悲深きマリアよ、
我々の罪が我々を怖れさせる
それ故に、あなたの恩寵により、
我々に対して慈悲深くあれ。

フス派の聖歌の中で最も有名なものが、「神の戦士たる者たち（Ktož jsú boží bojovníci）」である。この歌は後にフス運動の象徴となり、序章でも述べたように、近代になってからもベドジフ・スメタナのような作曲家が自らの曲（『我が祖国』の第五曲「ターボル」）に取り入れたりしたことで知られる。また、「立ち上がれ、立ち上がれ、偉大なプラハの町よ（Povstaň, povstaň, Veliké Město pražské）」（一四二〇年頃）も有名である。これらはフス派が新たにチェコ語で創作した歌であり、軍歌という性格を持っている。

以上見てきたように、多言語状況にあったチェコのゴシック時代に、ラテン語の分からない民衆に寄り添おうとしたチェコの宗教改革的運動の推進者たちによって、チェコの文学と音楽の俗語・地域語・民族語化が大きく進められたのである。

# 終　章　光を求める闇

## 一　光への志向

フランスのサン・ドニ修道院におけるゴシック様式の誕生に際して、修道院長シュジェール（一〇八一〜一一五一）が重要な役割を果たしたことは、よく知られている。彼は、新プラトン主義的で神秘主義的な『天上位階論』で知られる偽ディオニュシオスと、その著作をギリシア語からラテン語に訳したヨハネス・スコトゥス・エリウゲナ（八一〇？〜八七七？）の影響を受けた。偽ディオニュシオスによれば、「神は光なり」という新約聖書の言葉の通り、光である神は、被造物に光を発出すると共に、逆に被造物から神に光を帰還させて、被造物との統合を実現する。そして、被造物は神に類似する程度に応じて神の光を分有していて、神の非物質的な光を内に宿している。つまり物質的な光は、非物質的な光の似姿・イメージなのである。[1]

このような光の神学に心酔したシュジェールは、ウンベルト・エコ（エーコ）が「主の家の光輝への愛着（dilectio decoris domus Dei)」に導かれていたと述べているように、[2]光り輝く物に強い関心を抱き、彼の文章には、洞窟のような暗い修道院と決別する光への志向が表れている。[3] そして彼は、サン・ドニ修道院付属教会堂のゴシック様式への改築工事において、「光の美学」とも言うべきものを実現した。また、第三章で述べたように、チェコの「美しい聖母」の誕生に際して重要な役割を果たしたプラハ大司教イェンシュテインのヤンも、偽ディオニュシオスの著作を好んで読んでいた。かつて「暗黒時代」と見なされていた中世のゴシック様式においては、光への強い志向が働いていたのである。

光の神学によれば、神の子イエス・キリストを宿した聖母マリアは、人間のうち最高度に神の光を宿した存在であろう。偽ディオニュシオスを愛読したイェンシュテインのヤンが、聖母マリアを、内から光を放つ存在として表象したとしても、不思議はない。

チェコ・ゴシック時代に制作された《ロウドニツェの聖母》のような「美麗様式」の「美しい聖母」像は、六百年以上を経た今もなお輝きを放ち、現代の我々の心にも訴えるものがある。

## 二　ゴシック大聖堂と装飾写本の光

アーロン・グレーヴィチが述べているように、「神の宇宙の完結した、完璧な似姿、目に見える具象であるべき大聖堂」の構造には、中世が持っていた「包括性」への傾向が表れている。[4]ゴシックの大聖堂は、ゴシックのキリスト教的なものが無数に包括されている小宇宙なのである。

バットレス（控壁）とフライングバットレス（飛梁）という外部構造を大がかりに使用することによって巨大な建築物を支えることに成功したゴシック建築の革命は、地上における神の家たる教会堂をより高くすることができたと同時に、壁に開口部を増やして天からの光を堂内により多く取り入れることができた。こうして、ロマネスク教会堂の薄暗い空間が、ゴシック教会堂の豊かな薄明かりに浸る空間へと変容した。ゴシック建築は、広い開口部やステンドグラスで内部空間に光と彩りを与えると共に、リブや柱で内部空間を美しく造形した。そして大聖堂の外部にも内部にも、数多の彫像・図像が配され、キリスト教の世界観と旧約・新約聖書の物語、イエス・キリストと聖母マリア、聖人たち、更には大聖堂の関係者たちを、視覚的に現前させている。ウンベルト・エコによれば、大聖堂が表わしているものは、「万物が――神や天使の一群、受胎告知や最後の審判、死、もろもろの職業、自然、悪魔ですらもが――その正しい場所を占めている世界、万物が［……］一つの秩序の中へ閉じ込められている、総和（Summae）全体の世界」である。「とりわけ正面入り口の彫像群、ステンドグラスの絵、コーニス（軒蛇腹）の上の怪物や樋嘴［ガーゴイル］のおかげで、大聖堂は人類、その歴史、人類と全体との関係についての真に総合的なヴィジョンを独特の仕方で実現するのである」[5]。

図 5-1　聖ヴィート大聖堂のステンドグラス

ゴシック大聖堂には、建物の外部にも内部にも、普通の人間にはよく見えないほどの高所や物陰にさえも、何かよく分からない像が随所に潜んでいる。それらは、実在と架空の動物、植物、デフォルメされたグロテスクな人間の顔、マスカロン、悪魔などである。これらの像は——下に下ろされたものを間近で見たり、カメラの望遠レンズで捉えたりして——よく見ると、しばしば個性的で興味深い姿形をした、グロテスクだがどこか愛嬌のある彫像であり、ゴシックの想像力の豊かさを感じさせる。

ウンベルト・エコは、「悪魔の画像でも、それが悪魔の

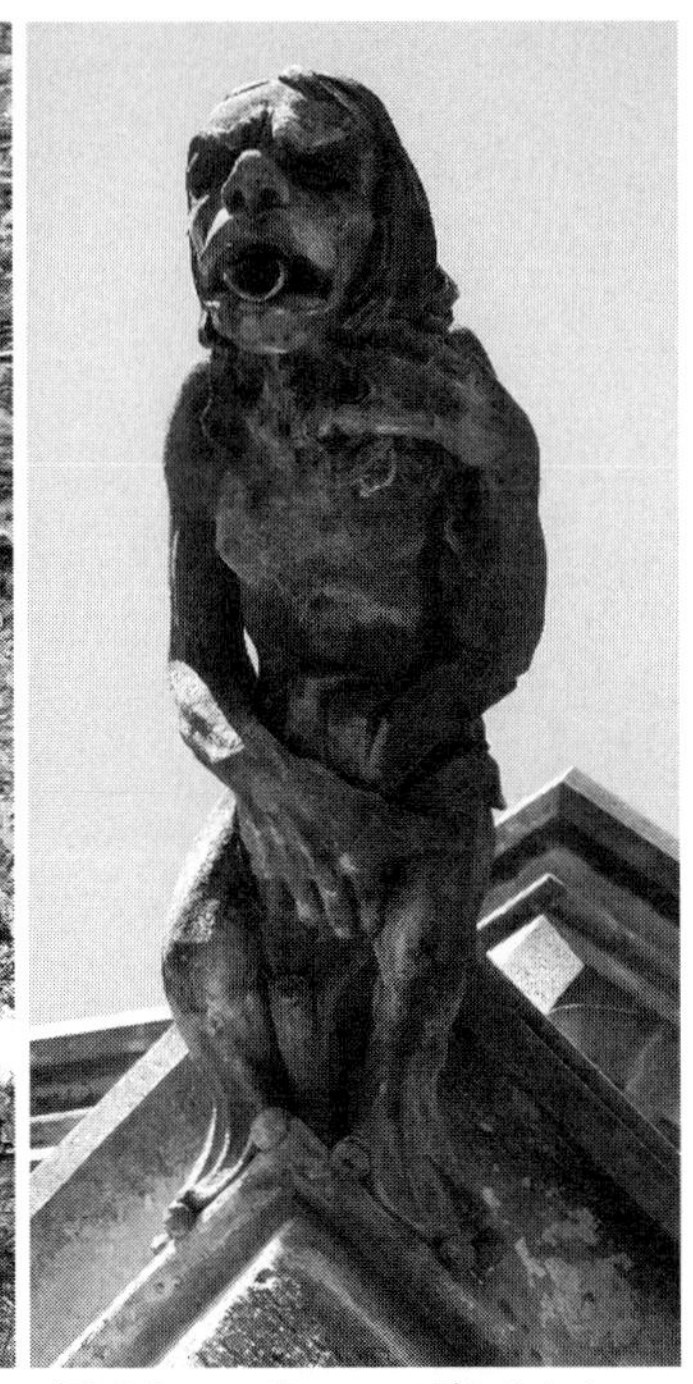
図 5-2　コリーンの聖バルトロムニェイ（バルトロマイ）教会外部の彫像

図 5-3　コリーンの聖バルトロムニェイ（バルトロマイ）教会の彫像（修復中？）

図 5-4　プラハの聖ヴィート大聖堂内部高所の彫刻

図 5-5　プラハの聖ヴィート大聖堂内部高所の彫刻

醜さを見事に表わしており、したがって、醜いときには、『美しい』と言われる」という神学者ボナヴェントゥラ（一二二一？～七四）の言葉を引いて、「醜い対象物の形像でも、それが説得力をもって醜い場合には美しいのだ。このことは、大聖堂の悪魔のあらゆる描写の正当化である」と述べている。[6]ここで《クシヴァークのピエタ》を思い浮かべるなら、次のように言うこともできるのではないだろうか——

——酷たらしい対象物の形像でも、それが説得力をもって酷たらしい場合には美しいのだ、と。醜さ、酷たらしさ……それも生の真実の一面であり、それを「説得力をもって」形象化したものは、グロテスクでも「美しい」のではないだろうか？

　ところで、ゴシック大聖堂が、「光の美学」に基づいて神の世界をマクロに形象化したものだとすれば、それと対極的な、細密画に満たされた装飾写本は、神の世界をミクロに形象化したものだと言えよう。装飾写本は四世紀から十五世紀まで制作されたと言われるが、[7]特にゴシック時代には、カレル四世の甥であったベリー公の時禱書（『ベリー公のいとも豪華なる時禱書』）に代表されるような豪華で美しい装飾写本が制作された。中には、田中久美子が言うように「ステンドグラスの光溢れるゴシック教会のような装飾を連想させ」るものもある。[8]そもそも写本装飾を意味するフランス語の「アンリュミニュール（enluminure）」は、ラテン語の「光を投射する（イルミナーレ illuminare）」に由来し、元来、神の言葉や事績を記した聖書を「光輝あらしめる（アンリュミネ enluminer）」ことを意味した。[9]ミサの際に読まれる聖書——特に福音書——のテクストを含む装飾写本は、キリストの具現として、ミサの過程で神が顕現する「聖なる場（locus sacer）」として捉えられていた。写本を飾る金や宝石などは、テクストの聖なる性格に対応し、聖性を高めるものであった。蝋燭の瞬く光の中で、金の光は、写本は神と結びついた光の源だという印象を呼び起こした。[10] ゴシックの大聖堂も装飾写本も、共に光――神の光――への志向に導かれていたのである。

ルイ・グロデッキは、ステンドグラスと写本装飾画ないし壁画との間には緊密な関連があり、諸技法の間に相互交流があったことを指摘し、地（背景）に金箔を用いた写本装飾画の美学は、本来ステンドグラスだけが実現できた光の効果を追求しているように見える、と述べている。[11] 板絵でも、《ロウドニツェの聖母》の地全体と聖母の頭部・胸部・肩や幼子イエスの頭部などに溢れる金が光の効果を追求したものであることは明らかであり、その光は、大聖堂のステンドグラスを通して差し込む光と同じく、神に由来する光なのである。

アンリ・フォシヨンは、ゴシック絵画は本質的に、「光にかつてない独特の質を与えるとともに、透明技法によったり、ハイライトや金地によったりしながらひとつの平板な空間にその光を組みいれていて、まるで独自の光を合成し組み立てているとでもいいうるような絵画」だと述べている。[12]《ロウドニツェの聖母》は、まさにそのようなゴシック絵画の典型的な作例と言えよう。

## 三　補完的相関関係

一方におけるチェコの「美麗様式」の《ロウドニツェの聖母》（彫刻）のような「美しい聖母」と、他方における《苦悩の聖母（悲しみの聖母）》（絵画）あるいは《トルニの聖母》（彫刻）のような「悲しみの聖母」あるいは《クシヴァークのピエタ》（彫刻）のような「美しいピエタ」との関係については、第三章で論じたように、両者が表裏の関係――あるいは始まりと終わりの関係――にあることは明らかだ。そして『ボヘミアの農夫』と『織匠』との関係については、第四章で論じたように、一方（『織匠』）の著者が他方（『ボヘミアの農夫』）を読んで、それを踏まえて自分の作品を書いたことはまず間違いない。いずれも一四世紀末から一五世紀初頭の同時期に作られたこれらの諸作品は、補完的相関関係にあると言えるのではなかろうか？　これらの諸作品は、一方で、何人（なんぴと）も逃れられない死と不幸の不可避性と普遍性を、人の心に強く訴えかける表出的・表現主義的な様式で示し、他方で、何とかして死や不幸と折り合いを付けるべき人間の心の必要性に（司牧的に）応えようとしているのではなかろうか？

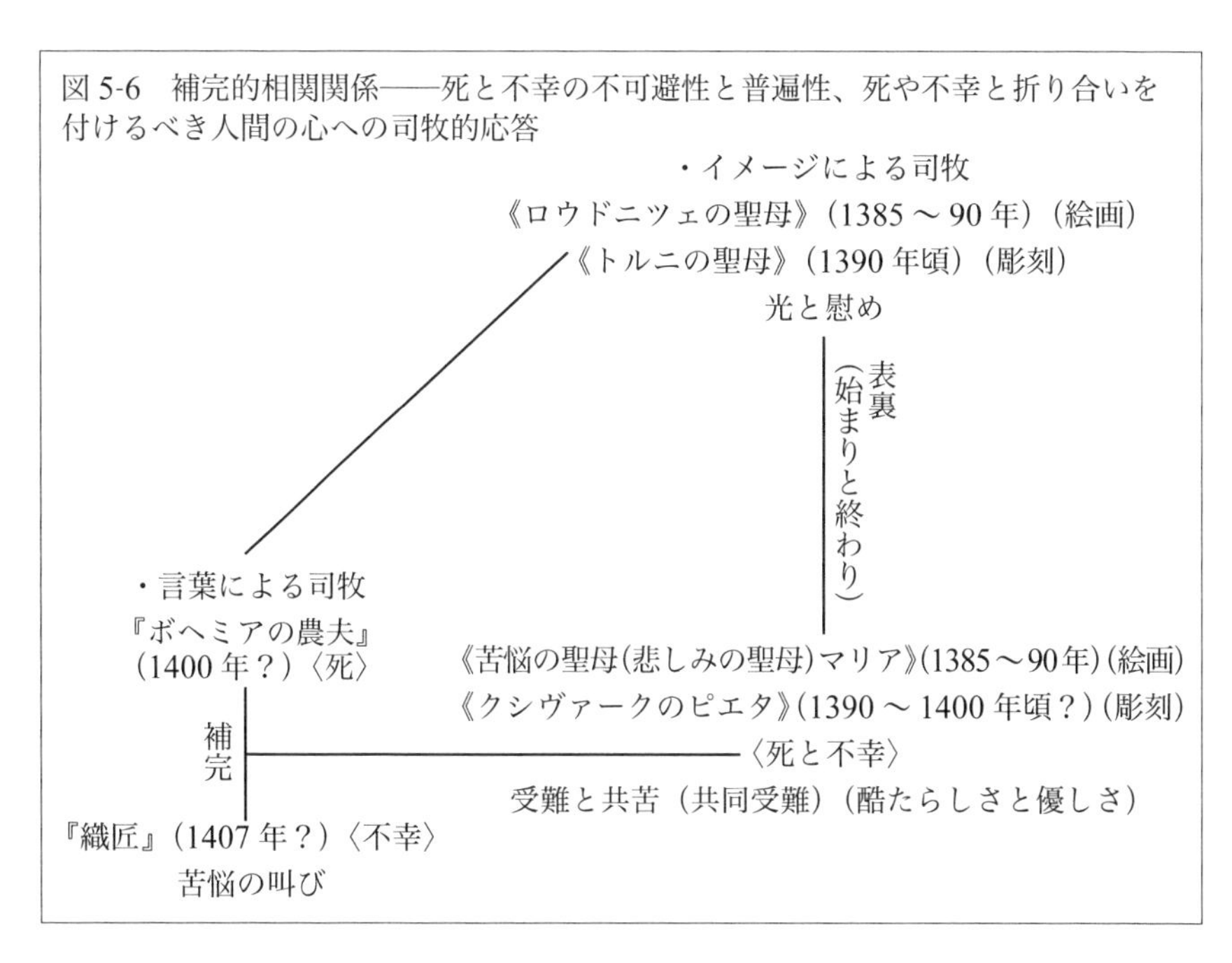

図5-6　補完的相関関係――死と不幸の不可避性と普遍性、死や不幸と折り合いを付けるべき人間の心への司牧的応答

中世の「論争」のジャンル――しかも「慰め（consolatio）」のジャンル――に属する『ボヘミアの農夫』と『織匠』では、人はみな死や不幸を免れないということを、擬人化された「死」や「不幸」が――恐らくは司牧者の役割を担いながら――主人公と理性による議論を闘わすことによって言葉で懇々と諭す。しかしだからと言って、このような「論争」では、感情的な面で、「死」や「不幸」によって深い闇の中に突き落とされた人間の心の中に、光や慰めが注がれるわけではない。一方、《クシヴァークのピエタ》や《苦悩の聖母（悲しみの聖母）マリア》はイメージによって、神の子イエスでさえも不条理な死を死なねばならなかったこと、聖母マリアでさえも理不尽な不幸に見舞われねばならなかったことを示し、その酷たらしさと同時に、不条理な受難の受け止めを表し、人々に共苦と優しさを訴えている。そして《ロウドニツェの聖母》や《トルニの聖母》は、闇に沈んでいる人々の心の中に光と慰めを注ぐであろう。これらの諸作品が、チェコに最大の被害をもたらした一三八〇年頃のペスト流行の津波から五年〜二〇年くらいの間に制作されていることも、精神的背景として注目される。ボッカッチオがペストの惨状を見聞きした人は「一人残らず心の傷を負いました」と書いているように、たとえ言葉に出さなくとも、この時代の人々にはまだトラウマが残っ

ていたであろう。

かつてアーウィン・パノフスキーは『ゴシック建築とスコラ学』において、「ゴシック建築とスコラ学の間には時間と場所という純粋に事実の領域において、とても偶然とは思えない明白な同時発生が存在している」ことを指摘した上で、大聖堂に代表されるゴシック建築とスコラ学の間の「内在的類比性」を「精神習慣（メンタル・ハビット）」という概念で説明した。[13] そのような「精神習慣（メンタル・ハビット）」が存在するとすれば、「人びとの心に死の思想が重くのしかぶさり、強烈な印象を与え続けた時代」[14]（ホイジンガ）において、スコラ学と結びついたキリスト教神学を背景として、死に深く想いを致すキリスト教的死生観に基づいて同時発生的に作られたこれらの諸作品の間に内在的な相関関係を見て取ることは、あながち牽強付会な仮説ではないだろう。一見死とは関係ないように見える、光り輝く《ロウドニツェの聖母》のような「美しい聖母」も、死をもたらすペストの闇から生まれたものなのである。

## 四　外来のものとチェコのものとの交差
### ——国際性と民族性

父方ではフランス文化圏とドイツ文化圏にまたがるルクセンブルク家に繋がり、母方ではチェコの民族王朝であるプシェミスル家に繋がる神聖ローマ皇帝・チェコ王カレル四世は、いわば外来のものとチェコのものとの交差の上に生まれ、国際性と民族性を併せ持っていた。それと同様に、チェコ・ゴシック文化は、カレル四世時代の活発な国際交流によってもたらされた外来のものとチェコのものとが交差した所に成立したものであり、そこには当然のことながら汎ヨーロッパ的なものとチェコ的なものの両方がある。

そして《クシヴァークのピエタ》について言えば、神聖ローマ皇帝カレル四世の聖母マリア崇敬と聖遺物崇敬——とりわけ血痕聖衣の聖遺物崇敬——の流れと、キリスト教会の象徴として永遠に若くて美しい聖母を表象したプラハ大司教イェンシュテインのヤンの流れが交差したところ、即ち「血痕聖衣の聖母」と「美しい聖母」が交差したところに成立した、チェコ独特の「血痕聖衣の美しいピエタ」だったのだ。フランスから移入されたゴシック様式は、チェコで独自の傑作を生むことになったわけである。

## 五　チェコ・ゴシックとチェコ・バロック

チェコでは、フス戦争がフス派の勝利で終息した後、フス派が優位に立ち、一四五八年にはチェコの国王選挙によってフス派の貴族ポヂェブラディのイジーがチェコ王に選ばれ、フス派の王が誕生することになった。そして一六〇九年には、ハプスブルク家出身のチェコ王・神聖ローマ皇帝ルドルフ二世（チェコ王在位一五七六〜一六一一。神聖ローマ皇帝在位一五七六〜一六一二）が出した「信仰の自由の勅許状」によって、チェコでは個人のレベルで信仰の自由が認められた。しかしそれも束の間、一六一八年にプラハから始まった宗教戦争が三〇年戦争という大宗教戦争へと発展し、再び戦乱と闇の時代に入ることになる。チェコでは三〇年戦争初期の一六二〇年にプラハ郊外で行われた「白山（ビーラー・ホラ）の戦い」でカトリック勢力が決定的な勝利を収めて圧倒的な優位に立ち、強力な対抗宗教改革を推し進めることになる。

知られている通り、カトリック教会は対抗宗教改革を推し進めるに当たってバロック芸術を利用した。そのため、強力な対抗宗教改革が推し進められたチェコではバロック芸術が大いに栄えることになる。しかし、チェコのバロックは、幾つかの要因から、イタリアやスペインなどのバロックとは異なるものになった。

筆者は、『プラハのバロック――受難と復活のドラマ』[15]において、ヨーロッパの代表的なバロック都市の一つであるプラハのバロックの全体像を明らかにし、イタリアやスペインなどのバロックとは異なるチェコ・バロックの特質と豊かさを示した。チェコ・バロックが南方のバロックと異なるものとなった大きな要因として、チェコの歴史に由来する固有の伝統に関係する三つの要因がある。第一は、プラハを神聖ローマ帝国の首都にしたカレル四世の時代を中心に発展したゴシック文化がチェコに強力で広範に根づき、その影響がバロックの時代にまで残ったことである。第二は、ヴァーツラフ四世の時代に、ヤン・フスを主導者として始まったチェコの異端的・宗教改革的運動（フス運動）とプロテスタントの精神がチェコにやはり強力で広範に根づき、その伝統がカトリックの対抗宗教改革の時代――つまりバロックの時代――においても根絶されずに作用していたことである。第三は、フス運動と宗教戦争に阻害されて、チェコではルネサンス様式があまり広がらず、ゴシック様式が非常に遅くまで続いたことである。

このため、チェコでは例えばサンティーニ＝アイヘル（一六五二〜一七〇二）の「聖母マリア被昇天修道院教会」（図5‐7）のようにゴシック様式とバロック様式が融合したような独特の建築様式（バロック的ネオ・ゴシック様式）や、マティアーシュ・ベルナルト・ブラウン（一六八四〜一七三八）の《聖ルトガルディスの幻》（図5‐8）のようにプロテスタント的な緊迫性を持つバロック彫刻が生まれる

図5-8　マティアーシュ・ベルナルト・ブラウン《聖ルトガルディスの幻》(1710年、プラハ、石造彫刻博物館)

図5-7　サンティーニ＝アイヘル「聖母マリア被昇天修道院教会」(1712〜26年、クラドルビ)

ことになったと考えられるのである。
つまり、チェコ・ゴシック文化は、後のバロック時代にも影響を与えてチェコ・バロック文化に固有の特質の形成を促すほど力に満ち溢れ、影響力の大きなものだったのである。ルネサンスを挟んで、それと対照的なゴシックとバロック——バロックにおいてももちろん、闇と光の対照が重要な役割を果たしている——は互いに通底するものがあるが、チェコ、とりわけプラハは、こうしてゴシックとバロックが調和的に基調を成し、その魅力を高めることになったのである。そしてそれは、ヨーロッパの諸都市の中でのプラハの個性を際立たせ、ヨーロッパの多様性を増すことにも繋がった。
多様性の背景には国際性がある。チェコ・バロック文化も、チェコ・ゴシック文化と同様に、外来のものとチェコのものとの交差の上に成立し、国際性と民族性を併せ持っていたのである。

# 付表

## 付表一　カレルの戴冠式一覧[1]

| 戴冠日 | 位 | 場所（都市と教会） |
|---|---|---|
| 一三四六年一一月二六日 | ローマ［ドイツ］王 | ボン、聖カシウス教会 |
| 一三四七年九月二日 | チェコ王 | プラハ、聖ヴィート大聖堂 |
| 一三四九年七月二五日 | ローマ［ドイツ］王（二度目） | アーヘン、聖母マリア教会 |
| 一三五五年一月六日 | ロンバルディア王（イタリア王） | ミラノ、サンタンブロージョ教会 |
| 一三五五年四月五日 | （神聖）ローマ皇帝 | ローマ、サン・ピエトロ大聖堂 |
| 一三六五年七月三〇日 | アルル王 | アルル、サン・トロフィーム教会 |

## 付表二　プラハの主なゴシック遺産（地区別）

### ヴルタヴァ川左岸地区

#### 城地区

1　聖ヴィート大聖堂（katedrála sv. Víta）
2　プラハ城内王宮、ヴラヂスラフ・ホール（Vladislavský sál）、騎士の階段（Jezdecké schody）
3　プラハ城北側要塞（狭間胸壁）
4　火薬塔（ミフルカ）（Prašná věž : Mihulka）
5　白塔（Bílá věž）
6　ダリボルカ（Daliborka）

#### 小地区（マラー・ストラナ）

7　飢えの壁（Hladová zeď）

8 聖トマーシュ教会（kostel sv. Tomáše）
9 鎖の下の聖母マリア教会（kostel P. Marie pod řetězem）
10 カレル橋（Karlův most）、小地区橋塔（malostranská mostecká věž）
11 ナ・プラードレの洗礼者ヨハネ教会（kostel sv. Jana Křtitele Na prádle）

## ヴルタヴァ川右岸地区

### 旧市街

12 旧市街橋塔（staroměstská mostecká věž）
13 聖アンナ教会（kostel sv. Anny）
14 ベツレヘム礼拝堂（一九五四年再建）（Betlémská kaple）
15 聖イリー教会（kostel sv. Jiljí）
16 旧市街市庁舎（Staroměstská radnice）
17 石の鐘のもとの家（dům u kamenného zvonu）
18 ティーンの前の聖母マリア教会（ティーン教会）（kostel P. Marie před Týnem）
19 ティーン（ウンゲルト）（Týn: Ungelt）
20 聖ヤクプ教会（kostel sv. Jakuba）
21 聖霊教会（kostel sv. Ducha）
22 旧新シナゴーグ（Staronová synagóga）
23 聖アネシュカ修道院（klášter sv. Anežky）
24 聖ハシュタル教会（kostel sv. Haštala）
25 聖クリメント教会（kostel sv. Klimenta）
26 聖ペトル教会（kostel sv. Petra）
27 火薬門（Prašná brána）
28 カロリーヌム（カレル大学）のゴシックの核（gotické jádro Karolína）
29 聖ハヴェル教会（kostel sv. Havla）
30 壁の中の聖マルチン教会（kostel sv. Martina ve zdi）

### 新市街

31 雪の聖母マリア教会（kostel P. Marie Sněžné）
32 フ・オパトヴィツィーフの聖ミハル教会（kostel sv. Michala v Opatovicích）
33 新市街市庁舎（Novoměstská radnice）
34 ヴ・イルハージーフの聖ヴォイチェフ教会（kostel sv. Vojtěcha v Jirchářích）
35 ナ・ズデラゼの聖ヴァーツラフ教会（kostel sv. Václava na Zderaze）
36 聖母マリア教会とナ・スロヴァネフ修道院（エマウズィ）（kostel P. Marie s klášterem slovanských bene-

diktinů na Slovanech: Emauzy）

37　ナ・スルピの聖母マリア受胎告知教会（kostel Zvěstování P. Marie na Slupi）

38　ナ・カルロヴィエの聖母マリアと聖カール大帝教会（kostel P. Marie a sv. Karla Velikého na Karlově）

39　聖アポリナーシュ教会（kostel sv. Apolináře）

40　聖カテジナ教会の塔（věž kostela sv. Kateřiny）

41　聖シュチェパーン教会（kostel sv. Štěpána）

42　聖インドジフ教会とインドジフ塔（kostel sv. Jindřicha s jindřišskou věží）

43　ナ・カルロヴィエの新市街要塞の残り（zbytek novoměstského opevnění na Karlově）

**ヴィシェフラット**

44　ヴィシェフラットの聖ペトル（ペテロ）とパヴェル（パウロ）教会（kostel sv. Petra a Pavla na Vyšehradě）

**郊外**

45　石造彫刻博物館（Lapidarium）

## 付表三　プラハ以外の主なゴシック遺産（教会・修道院・城）（地方ごと）（付表四に挙げるものを除く）

**都市：地方――施設名**

1　ベヒニェ（Bechyně）：ボヘミア地方――フランシスコ会修道院（Minoritský klášter）

2　同――聖母マリア被昇天教会（Kostel Nanebevzetí Panny Marie）

3　ヘプ（Cheb）：ボヘミア地方――聖ミクラーシュ教会（Kostel sv. Mikuláše）

4　フルヂム（Chrudim）：ボヘミア地方――聖母マリア被昇天教会（Kostel Nanebevzetí Panny Marie）

5　フラデツ・クラーロヴェー（Hradec Králové）：ボヘミア地方――聖霊大聖堂（Katedrála sv. Ducha）

6　ヤロムニェシュ（Jaroměř）：ボヘミア地方――聖ミクラーシュ教会（Kostel sv. Mikuláše）

7　カダニ（Kadaň）：ボヘミア地方――フランシスコ会修道院（Františkánský klášter）

8　カルルシュテイン（Karlštejn）：ボヘミア地方――カルルシュテイン城（Hrad Karlštejn）

9　クラトヴィ（Klatovy）：ボヘミア地方――聖母マリア生誕教会（Kostel Narození Panny Marie）

10　コリーン（Kolín）：ボヘミア地方――聖バルトロム

ニェイ教会（Chrám sv. Bartoloměje）

11 コスト（Kost）：ボヘミア地方——コスト城（Hrad Kost）

12 クシヴォクラート（Křivoklát）：ボヘミア地方——クシヴォクラート城（Hrad Křivoklát）

13 クトナー・ホラ（Kutná Hora）：ボヘミア地方——聖バルボラ大聖堂（Katedrála sv. Barbory）（世界遺産）

14 同——聖ヤクプ教会（Kostel sv. Jakuba）

15 ラデチ・ナト・サーザヴォウ（Ledeč nad Sázavou）：ボヘミア地方——聖ペトルとパヴェル教会（Kostel sv. Petra a Pavla）

16 ロウヌィ（Louny）：ボヘミア地方——聖ミクラーシュ教会（Kostel sv. Mikuláše）

17 ムニェルニーク（Mělník）：ボヘミア地方——聖ペトルとパヴェル教会（Kostel sv. Petra a Pavla）

18 モスト（Most）：ボヘミア地方——聖母マリア被昇天教会（Kostel Nanebevzetí Panny Marie）

19 ネザミスリツェ（Nezamyslice）：ボヘミア地方——聖母マリア被昇天教会（Kostel Nanebevzetí Panny Marie）

20 ヌィムブルク（Nymburk）：ボヘミア地方——聖イリー教会（Kostel sv. Jiljí）

21 プルゼニ（Plzeň）：ボヘミア地方——聖バルトロムニェイ教会（Kostel sv. Bartoloměje）

22 セドレツ・ウ・クトネー・ホリ（Sedlec u Kutné Hory）：ボヘミア地方——聖母マリア被昇天大聖堂（Katedrála Nanebevzetí Panny Marie）

23 ターボル（Tábor）：ボヘミア地方——山上の主イエスの変容教会（Kostel Proměnění Páně na hoře）

24 タホフ（Tachov）：ボヘミア地方——聖母マリア被昇天教会（Kostel Nanebevzetí Panny Marie）

25 ウースチー・ナド・ラベム（Ústí nad Labem）：ボヘミア地方——聖母マリア被昇天教会（Kostel Nanebevzetí Panny Marie）

26 ヴィソケー・ミート（Vysoké Mýto）：ボヘミア地方——聖ヴァヴジネツ教会（Kostel sv. Vavřince）

27 ザートニ（Zátoň）：ボヘミア地方——洗礼者ヨハネ教会（Kostel sv. Jana Křtitele）

28 ズブラスラフ（Zbraslav）：ボヘミア地方——ズブラスラフ修道院（Zbraslavský klášter）

29 ブルノ（Brno）：モラヴィア地方——聖ヤクプ教会（Chrám sv. Jakuba）

30 同——聖ペトルとパヴェル大聖堂（katedrála sv. Petra a Pavla）

31 同——古ブルノ修道院（Starobrněnský klášter）

32　クロムニェジーシュ（Kroměříž）：モラヴィア地方——聖モジツ教会（Kostel sv. Mořice）
33　オロモウツ（Olomouc）：モラヴィア地方——聖ヴァーツラフ大聖堂（Katedrála sv. Václava）
34　同——聖ミハル教会（Kostel sv. Michala）
35　同——聖モジツ教会（Kostel sv. Mořice）
36　同——大司教区博物館（Arcidiecézní muzeum）
37　ペルンシュテイン（Pernštejn）：モラヴィア地方——ペルンシュテイン城（Hrad Pernštejn）
38　ズノイモ（Znojmo）：モラヴィア地方——聖ミクラーシュ教会（Kostel sv. Mikuláše）

## 付表四　南ボヘミア地方のゴシック宗教施設一覧：町村名——施設名[2]

1　ベネショフ・ナト・チェルノウ（Benešov nad Černou）——聖大ヤクプ教会（kostel sv. Jakuba Většího）
2　ブランスコ（Blansko）——聖イジー教会と司祭館（kostel sv. Jiří a fara）
3　ボロヴァヌィ（Borovany）——聖アウグスチノ修道会修道院と聖母マリア御訪問教会（Augustiniánský klášter s kostelem Navštívení Panny Marie）
4　ボルショフ・ナド・ヴルタヴォウ（Boršov nad Vltavou）——聖大ヤクプ教会（kostel sv. Jakuba Většího）
5　ブルロフ（Brloh）——聖マグダラのマリア教会（kostel sv. Máří Magdaleny）
6　ツェトヴィヌィ（Cetviny）——聖母マリア生誕教会（kostel Narození Panny Marie）
7　チェルニツェ（Černice）——聖マグダラのマリア教会（kostel sv. Máří Magdaleny）
8　チェスキー・クルムロフ（Český Krumlov）——上の城、城の第四の中庭に面した宮殿（Horní hrad, palác při čtvrtém hradním nádvoří）
9　同——助任司祭館と聖パウロ改宗礼拝堂（Kaplanka s kaplí Obrácení sv. Pavla）
10　同——コンベンツァル聖フランシスコ修道会とクララ会修道院と、聖体と聖母マリア受胎告知教会（klášter minoritů a klarisek s kostelem Božího Těla a Zvěstování Panny Marie）
11　同——聖ヴィート教会（kostel sv. Víta）
12　ドルニー・ドヴォジシチェ（Dolní Dvořiště）——聖イリー教会（kostel sv. Jilji）
13　ドルニー・ヴルタヴィツェ（Dolní Vltavice）——聖リ

ンハルト教会（kostel sv. Linharta）

14　ドウドレビ（Doudleby）——聖ヴィンツェンツ教会（kostel sv. Vincence）

15　フリムブルク（Frymburk）——聖バルトロムニェイ教会（kostel sv. Bartoloměje）

16　ハスラフ（Haslach）——聖ミクラーシュ教会（kostel sv. Mikuláše）

17　ホドニツェ・ウ・ロジュミタール・ナ・シュマヴィエ（Hodonice u Rožmitálu na Šumavě）——修道院中庭・礼拝堂（klášterní dvůr - kaple）

18　ホジツェ（Hořice）——聖カテジナ教会（kostel sv. Kateřiny）

19　ホルニー・ドヴォジシチェ（Horní Dvořiště）——聖大天使ミカエル教会(kostel sv. archanděla Michaela)

20　ホルニー・プラナー（Horní Planá）——聖マルケータ教会（kostel sv. Markéty）

21　ホルニー・ストロプニツェ（Horní Stropnice）——聖ミクラーシュ教会（kostel sv. Mikuláše）

22　フヴァルシヌィ（Chvalšiny）——聖マグダラのマリア教会（kostel sv. Máří Magdaleny）

23　イーロヴィツェ（Jílovice）——聖大ヤクプ教会（kostel sv. Jakuba Většího）

24　カーヨフ（Kájov）——聖母マリア被昇天教会と司祭館（Kostel Nanebevzetí Panny Marie a fara）

25　カメンヌィー・ウーイェスト（Kamenný Újezd）——万聖教会（kostel Všech svátých）

26　カプリツェ（Kaplice）——聖フロリアーン教会（kostel sv. Floriána）

27　同——聖バルボラと聖ヨゼフ礼拝堂（kaple sv. Barbory a sv. Josefa）

28　同——聖ペトルとパヴェル教会（kostel sv. Petra a Pavla）

29　クレニー（Klení）——聖ヴァヴジネツ教会（kostel sv. Vavřince）

30　クシェムジェ（Křemže）——聖大天使ミカエル教会（kostel sv. archanděla Michaela）

31　クシェノフ（Křenov）——修道院中庭・礼拝堂（klášterní dvůr - kaple）

32　クチシュ（Ktiš）——聖バルトロムニェイ教会（kostel sv. Bartoloměje）

33　ククロフ（Kuklov）——旧ミニム会修道院と聖オンドジェイ教会（bývalý paulánský klášter s kostelem sv. Ondřeje）

34　ロムニツェ・ナド・ルジュニツィー（Lomnice nad

Lužnicí）——聖体と聖ペトルとパヴェル礼拝堂（kaple Božího Těla a sv. Petra a Pavla）

35　ロウチョヴィツェ（Loučovice）——聖テオバルト教会（kostel sv. Theobalda）

36　マイダレナ（Majdalena）——聖マグダラのマリア教会（kostel sv. Máří Magdaleny）

37　マロンティ（Malonty）——聖バルトロムニェイ教会（kostel sv. Bartoloměje）

38　マルシーン（Malšín）——聖マルケータ教会（kostel sv. Markéty）

39　ムラドショヴィツェ（Mladošovice）——聖バルトロムニェイ教会（kostel sv. Bartoloměje）

40　ノヴェー・フラディ（Nové Hrady）——聖ペトルとパヴェル修道院・教区教会（klášterní a farní kostel sv. Petra a Pavla）

41　ポルナー（Polná）——聖マルチン教会（kostel sv. Martina）

42　プラハチツェ（Prachatice）——聖大ヤクプ教会（kostel sv. Jakuba Většího）

43　プシェドニー・ヴィートニ（Přední Výtoň）——聖パヴェルと聖アントニーン教会（kostel sv. Pavla a sv. Antonína）

44　プシードリー（Přídolí）——聖ヴァヴジネツ教会（kostel sv. Vavřince）

45　ロジュムベルク・ナド・ヴルタヴォウ（Rožmberk nad Vltavou）——聖ミクラーシュ教会と司祭館（kostel sv. Mikuláše a fara）

46　リフノフ・ナド・マルシー（Rychnov nad Malši）——聖オンドジェイ教会（kostel sv. Ondřeje）

47　リフノフ・ウ・ノヴィーフ・フラドゥー（Rychnov u Nových Hradů）——聖イリー教会（kostel sv. Jiljí）

48　リフヌーヴェク・ウ・フリムブルク（Rychnůvek u Frymburku）——聖ヴァーツラフ教会（kostel sv. Václava）

49　スクラージェ（Skláře）——修道院中庭・礼拝堂（klášterní dvůr - kaple）

50　スラフコフ（Slavkov）——聖バルトロムニェイ教会（kostel sv. Bartoloměje）

51　ソビェノフ（Soběnov）——聖ミクラーシュ教会（kostel sv. Mikuláše）

52　ソビェスラフ（Soběslav）——聖ペトルとパヴェル教会（kostel sv. Petra a Pavla）

53　スタレー・ムニェスト・ポド・ラントシュテイネム（Staré Město pod Landštejnem）——聖母マリア被昇

天教会（kostel Nanebevzetí Panny Marie)

54　スフドル・ナド・ルジュニツィー（Suchdol nad Lužnici)——聖ミクラーシュ教会（kostel sv. Mikuláše)

55　スヴァター・バルボラ・ウ・ブランネー（Svatá Barbora u Branné)——聖バルボラ礼拝堂と隠者の庵(kaple sv. Barbory s poustevnou)

56　スヴィエトリーク（Světlík)——聖大ヤクプ教会（kostel sv. Jakuba Většího)

57　スヴァティー・トマーシュ（Svatý Tomáš)——聖体教会（kostel Božího Těla)

58　トシェボニ（Třeboň)——聖イリー教会・シュテルンベルク礼拝堂・教会の聖歌隊席の窓・塔の改修（kostel sv. Jiljí - Šternberská kaple, okno na kruchtu kostela, oprava věže)

59　トルホヴェー・スヴィヌィ（Trhové Sviny)——聖母マリア被昇天教会 (kostel Nanebevzetí Panny Marie)

60　ヴェレシーン（Velešín)——聖フィリップと聖ヤクプ教会（kostel sv. Filipa a sv. Jakuba)

61　同——聖ヴァーツラフ教会（kostel sv. Václava)

62　ヴェセリー・ナド・ルジュニツィー（Veselí nad Lužnici)——十字架挙栄教会 (kostel Povýšení sv. Kříže)

63　ヴィシシー・ブロト（Vyšší Brod)——シトー会修道院・周歩廊の改修（cisterciácký klášter - úprava ambitu)

64　ザートニ（Zátoň)——洗礼者ヨハネ教会（kostel sv. Jana Křtitele)

65　ジュムベルク（Žumberk)——洗礼者ヨハネ斬首教会(kostel Stětí sv. Jana Křtitele)

# あとがき

二〇一五年、私はチェコ東部のモラヴィア地方の町オロモウツを訪れ、そこで何気なく入った大司教区博物館の一室に置かれていた一つの作品を目にして、釘付けになった。うら若くて美しい少女が、服のあちこちに赤い血痕を付け、苦しそうに左手を胸に当てて首を傾け、脇腹から血を流して血まみれになった中年男性の遺骸を膝に乗せ、だらりと垂れ下がりそうになる男性の首を右手で下から支えている。それは酷たらしい光景で、少女の目からは血の混じった涙がこぼれ、悲しい表情をしているが、しかし優しさも湛え、その顔はあくまでも美しい……。それは、いまだかつて見たこともないようなピエタの彫刻であった。

この《クシヴァークのピエタ》だけが一室の中央に防護柵もなく置かれ、特に有名でもない地方の博物館の平日ゆえか、私以外に訪問者はほとんどなく、ただ部屋の隅に、学芸員と思われる張り番の女性が立っているだけだった。私はこのピエタの周囲をゆっくりと回りながら、去りがたく長々とそれを見つめていた。ほかに誰も居ない部屋での東洋人の変わった行動に不安を感じたのか、張り番の女性は私から目を離さずに見ていた。その視線が気になった私が女性の方を振り向いて、溜息をつくように「美しいですね……」とチェコ語で言うと、女性は素直に嬉しそうな笑みを浮かべて、「ありがとうございます！」とチェコ語で答えた。チェコ人女性にはきつい人が少なくないが、この輝くような金髪の女性は――モラヴィア地方の女性だったためか――優しげで、とても感じの良い人だった。

オロモウツは二度目の訪問であった。この時は、オロモウツのパラツキー大学で教授をしている知人から、講演を頼まれて赴いたのである。実は数年前に頼まれていたのだが、こちらの都合で行くことができず、二〇一五年に行くことになったのである。

　それまでチェコ・バロックの研究をしていた私は、カトリックの中心地の一つであったオロモウツには、バロックの遺産が多いことを知っていた。この町には、ユネスコの世界遺産に登録されたバロック様式の《至聖三位一体柱》（一七一六〜五四年）を始めとして、「オロモウツ・バロック」とも呼ばれるほど豊かなバロックの遺産が残っている。一度目の訪問の時に既にバロックの遺産を巡っていたので、今度は、空き時間に町をざっと散策したが、オロモウツは小さな町なので、町を一回りするのに大して時間はかからない。それで、オロモウツの聖ヴィート大聖堂の横にある大司教区博物館に入ってみることにしたのである。まさかそこで、このようなチェコ・ゴシックの傑作に出会おうとは、全く予期していなかった……。

　早速、大司教区博物館の売店で売っていた《クシヴァークのピエタ》についての本を買い求め、それを読んで知ったことだが、この彫刻は長期にわたって緻密な調査と修復の作業が続けられ、ようやく二〇一四年に蘇って公開され、それで特別に一室の中央に展示されていたのである。オロモウツのパラツキー大学での講演が、当初の予定より数年遅れたことが幸いした。そうでなければ、緻密な修復作業が終わって蘇った姿で新たに展示されたこの作品に出会うことはなかったかもしれないし、本書も書かれることはなかったかもしれない。本書は、オロモウツの《クシヴァークのピエタ》との偶然の――幸運な――出会いから生まれたものだと言っても過言ではない。

　《クシヴァークのピエタ》と出会ってから、中世美術に対する私の見方は大きく変わった。プラハに戻って、聖アネシュカ修道院の建物の中にチェコと中欧の中世美術を集めた国立美術館を再訪すると、この中世美術の一大コレクションを以前とは違った目で見るようになり、ここがまさに中世美術の宝庫に見えてきた。中でも、トシェボニの祭壇のマイスターが描いた《ロウドニツェの聖母》は、修道院の薄闇の中で特別な輝きを放っていた。

　翌二〇一六年から私は科学研究費補助金を取得して、「チェコ・ゴシック研究――カレル四世とフスの時代の文化と精神」という研究を開始した。いろいろと調べているうちに、《クシヴァークのピエタ》と《ロウドニツェの聖母》は共にチェコ・ゴシックの「美麗様式」の彫刻と絵画の代表的な作品であること、その「美麗様式」がチェコで絵画・彫刻・建築に広く広がったこと、そしてその背景に、チェコ国王・神聖ローマ皇帝カレル四世とその息子ヴァーツラフ四世の影響、更にはカレル四世が創設したプラハの聖ヴィート大聖堂の大司教たち――とりわけ第三代プラハ大司教イェンシュテインのヤン――のペストによる死や重病との繋がりが見えてきた。カレル四世とヴァーツラフ四世の肉親もペストで死亡していたこと、その一人でイングランド王リチャード二世に嫁いだアンナ（アン）は彼に深く愛されていたが、愛妻をペストに奪われたリチャード二世は激しい悲しみに打ちひしがれ、恐らくはそこからイギリスにおける「国際ゴシック様式」の代表的な作例の一つとされる《ウィルトンの二連祭壇画（ウィルトン・ディプティック）》も生まれたことも見えてきた。ペストの闇から生まれた光と慰め――それが「美しい聖母」の輝きなのだろうと思う。

更に、《クシヴァークのピエタ》と『ボヘミアの農夫』が一四〇〇年前後のほぼ同時期に生まれたというのは、私にとって意外な発見であり、それは単なる偶然ではないように思えた。そして本書で論じたように、最愛の存在を不条理な死によって奪われた人間の痛ましい運命と内面の激しい苦悩を表現しているという点で、これらの作品には通底するものがあるという考えに至った。愛と死は芸術の最大かつ永遠のテーマであり、不条理な受難をいかに受けとめるか、理不尽な不幸に見舞われた時それといかに折り合いをつけるかということは、人間にとって永遠の実存的課題であろう。

本書は、期せずして、新型コロナウイルスのパンデミックの中で、世界中の感染者、死者、人々の窮状の報に日々接しながら書くことになり、そのコロナ禍をゴシック時代のペスト禍と重ね合わさずにはいられなかった。その中で浮かんできた、「死と不幸を免れない人間には光と慰めが必要だ」という私の想念が、本書には込められている。

前述のように、本書は科研「チェコ・ゴシック研究――カレル四世とフスの時代の文化と精神」の成果である。当初二〇一九年度末まで四年間の予定の研究だったが、その間、長年携わってきたチェコ語辞典の完成の仕事のために科研の研究は遅れ、一年間延長して、ようやく二〇二〇年度に研究の成果をまとめることができた。二〇二〇年二度目の現地調査に行く予定だったが、新型コロナウイルスのパンデミックのせいで行かれなくなったのは、大変心残りではある。しかし、今ではインターネットによって、現地に行かずとも様々な事が――場合によっては現地に行くよりも良く――調べられるようになっているので、ある程度インターネットによる調査で補うことができた。

なお、本書の第一章〜第四章は、『専修大学人文科学研究所月報』および『専修人文論集』に掲載した論文を元に、部分的に以前の著作も使いながら全面的に書き改めたものであり、その他の章は新たに書き下ろしたものである。
最後に、このような商業ベースに乗りにくい専門書の出版を速決して下さった成文社の南里功氏の英断に感謝したい。

二〇二一年六月
新型コロナウイルス（COVID-19）のパンデミックの中で
石川　達夫

付記――紙面の関係で本書に収められなかった、プラハ・ゴシックの遺産を探訪する補章を、次のホームページの「公開ファイル」のタブからダウンロードして読むことができます。https://tishi.jimdofree.com/

# 人名索引

## あ行



## か行

## さ行

## ま行



## や行



## ら行

# 注

序章

1　神聖ローマ皇帝カレル4世は、チェコ王としてはカレル1世だが、チェコでも普通カレル4世と言うので、本書でもそのように表記する。

　また、カレル4世が神聖ローマ帝国の君主に選ばれてローマ（ドイツ）王となったのが1346年、ローマ教皇によって戴冠されて正式に神聖ローマ皇帝となったのが1355年だが、両者を厳密に区別せずに前者の段階で神聖ローマ皇帝として扱うことが多いので、本書でもそのようにする。

2　聖母マリアの父とされる聖ヨアキム（Sankt Joachim。チェコ語ではSvatý Jáchym)。

3　Cf. August Sedláček, *Místopisný slovník historický Království českého* (Praha: Buršík&Kohout, 1909), s. 350.

4　この町の名前は、チェコ語のクターニー（kutání＝採鉱）とホラ（hora＝山）に由来し、「採鉱の山、鉱山」という意味である。クトナー・ホラでは、1300年からプラハ・グロッシェン［銀貨］（Pražský groš）――ドイツ語名Prager Groschen、ラテン語名Grosii Pragenses――が鋳造された。

5　阿部謹也『中世の窓から』(ちくま学芸文庫、2017年)、216～217頁。

6　木俣元一・小池寿子『西洋美術の歴史3――中世II　ロマネスクとゴシックの宇宙』(中央公論新社、2017年)、69～70頁。

7　村上陽一郎が、「ペストという語は、本来『悪疫』の意味で用いられていたのであり、それゆえ、記録に現れる『ペスト』という言葉をもって、ペストの流行と断じることはもとより不可能である」と述べているが（村上陽一郎『ペスト大流行――ヨーロッパ中世の崩壊』岩波新書、1983年、12頁)、ペストを意味するチェコ語の「mor」も同様に、中世においてはペスト以外の悪疫を示すこともあった。そのため、「morに感染した」「morで死亡した」という場合、それが病理学的に正確にペストであったかどうかは断定しがたいが、本書では、原則としてチェコ語の「mor」は「ペスト」とする。

8　小池寿子『「死の舞踏」への旅――踊る骸骨たちをたずねて』(中央公論新社、2010年）参照。

9　H・フォシヨン『西欧の芸術2――ゴシック』(下）神沢栄三他訳（鹿島出版会、1976年)、345頁。

10　ボッカッチョ『デカメロン』平川祐弘訳（河出書房新社、2012年)、24～25頁。

11　同、23頁。

12　村上、前掲書、72頁。

13　Petr Čornej, *Velké dějiny zemí Koruny české*, sv. V. (Praha: Paseka, 2000), s. 12-13.

14　Lenka Bobková a Milena Bartlová, *Velké dějiny zemí Koruny české*, sv. IV. b (Praha: Paseka, 2003), s. 12.

15 トレヴァー・ロイル『薔薇戦争新史』陶山昇平訳（彩流社、2014 年）、66 頁参照。
16 ウィリアム・シェイクスピア『リチャード二世』小田島雄志訳（白水Uブックス、1983 年）、96 頁。
17 次を参照：https://www.nationalgallery.org.uk/paintings/english-or-french-the-wilton-diptych
18 浅野和生『ヨーロッパの中世美術――大聖堂から写本まで』（中公新書、2009 年）、156 頁。
19 Cf. Jan Royt, *Praha středověká* (Praha: Karolinum, 2019), s. 65.
20 石川達夫『黄金のプラハ――幻想と現実の錬金術』（平凡社、2000 年）、137 ～ 138 頁参照。

第 1 章

1 加藤耕一によれば、サン・ドニ修道院というただ 1 つの建築物が過去と断絶した突然変異のような存在としてゴシックを誕生させたという捉え方は神話に過ぎないが、それでも、ヴォールトのリブを受ける添柱を付けることでゴシックの線条性を生み出すきっかけとなったことで、やはりサン・ドニ修道院はゴシック様式誕生の地と言えるのである。加藤耕一『ゴシック様式成立史論』（中央公論美術出版、2012 年）、序章 1 － 4 「ゴシック誕生の地というサン・ドニ神話」および第 2 章 3 － 1 「サン＝ドニ大修道院とアン・デリの添柱」参照。
2 酒井健『ゴシックとは何か――大聖堂の精神史』（ちくま学芸文庫、2006 年）、120 頁。
3 この原因には、東欧がかつて社会主義圏に属していて調査しにくかったことと、東欧語の文献を読むことが難しいこともあるだろう。
4 ジョン・ラスキン『ゴシックの本質』川端康雄訳（みすず書房、2011 年）、59 ～ 60 頁。
5 ルイ・グロデッキ『ゴシック建築』前川道郎・黒岩俊介訳（本の友社、1997 年）、238 頁。
6 酒井、前掲書、13 頁。
7 O・フォン・ジムソン『ゴシックの大聖堂――ゴシック建築の起源と中世の秩序概念』前川道郎訳（みすず書房、1985 年）、13 ～ 17 頁参照。
8 ウィルヘルム・ヴォリンガー『ゴシック美術形式論』中野勇訳（文藝春秋、2016 年）、67、88 頁。
9 Václav Mencl, *Česká architektura doby lucemburské* (Praha: Sfinx, 1948), s. 42.
10 Cf. Petr Kratochvíl, et al., *Velké dějiny koruny české: Architektura* (Praha: Paseka, 2009), s. 67.
11 Cf. Kratochvíl, et al., *op. cit.*, s. 75.
12 Cf. *ibid.*, s. 79.
13 ロルフ・トーマン編『ヨーロッパの大聖堂』忠平美幸訳（河出書房新社、2017 年）、77、94 頁参照。グロデッキ、前掲書、207 頁参照。
14 Cf. Kratochvíl, et al., *op. cit.*, s. 287-289.
15 Cf. Roman Lavička, *Pozdně gotické kostely na Rožmberském panství* (České Budějovice: Národní památkový ústav, 2013), s. 27-28.
16 Cf. *ibid.*, s. 40-42.

17 Cf. *ibid*., s. 40.

18 注15参照。

19 Cf. Lavička, *op. cit*., s. 212.

20 Cf. *ibid*., s. 43.

21 Cf. Mencl, *op. cit*., s. 111-112.

22 Cf. Bobková a Bartlová, *op. cit*., s. 263.

23 Cf. Kratochvíl, et al., *op. cit*., s. 272. Lavička, *op. cit*., s. 75.

24 Cf. Kratochvíl, et al., *op. cit*., s. 264.

25 Cf. *ibid*., s. 264.

26 Cf. *ibid*., s. 303.

27 Cf. Taťána Petrasová a Rostislav Švácha, eds., *Dějiny umění v českých zemích 800-2000* (Praha: Arbor vitae societas, 2017), s. 320-321.

28 「騎士の階段」の交錯（切断）ヴォールトについては、次を参照：https://commons.wikimedia.org/wiki/File:Jezdeck%C3%A9_shchody_pou%C5%BEit.jpg (2019.11.22)

29 Cf. Kratochvíl, et al., *op. cit*., s. 258-264, 305-307.

30 Mencl, *op. cit*., s. 152-153.

31 Cf. Kratochvíl, et al., *op. cit*., s. 284.

32 Cf. Lavička, *op. cit*., s. 15.

33 Kratochvíl, et al., *op. cit*., s. 283.

第2章

1 暗殺事件の真相は不明だが、事件後にチェコ語で書かれた幾つかの文学作品においては、ドイツ人の仕業とされている。

2 ヴァーツラフ3世の死後、ヴァーツラフ2世の娘であるプシェミスル家のアンナと結婚した、ケルンテン大公ハインリヒ6世（チェコ語ではインドジフ・コルタンスキー）がチェコ王に即位した。しかしすぐに、ヴァーツラフ2世の寡婦であるエリシュカ・レイチカと結婚した、ハプスブルク家のオーストリア大公ルドルフ3世（チェコ王としてはルドルフ1世）に代わった。だが彼は1年後に死んでしまい、再びハインリヒがチェコ王に返り咲いた。しかしまた3年でヨハンに交代した。

3 Cf. Paul Crossley a Zoë Opačić, „Koruna Českého království," in Jiří Fajt, ed., *Karel IV. : Císař z Boží milosti* (Praha: Academia, 2006), s. 198.

4 Karel IV, „Vlastní životopis," in *Karel IV. Literární dílo* (Praha: Vyšehrad, 2000), s. 25.

5 Cf. Barbara D. Boehm, „Zbožný panovník," in Fajt, ed., *op. cit*., s. 140. Alena Ježková, *Karel IV. a jeho Praha* (Praha: Tichá srdce, 2016), s 69.

6 秋山聰『聖遺物崇敬の心性史——西洋中世の聖性と造形』（講談社学術文庫、2018年）、158頁。

7 Cf. Boehm, *op. cit*., s. 142.

8 秋山、前掲書、21～23頁参照。

9 Cf. Jiří Kuthan a Jan Royt, *Karel IV.: Císař a český král - vizionář a zakladatel* (Praha: Na-

kladatelství Lidové noviny, 2016)., s. 104, 584.

10 Cf. Boehm, *op. cit*., s. 147.

11 「血痕聖衣」という用語は、筆者が考えたものである。

12 Cf. Michal Šroněk, „Rouška Panny Marie : Relikvie ve sporu mezi římskými katolíky a utrakvisty v Čechách ve 14. a 15. století," *Umění*, 57 (2), 2009, s. 2-3. Daniel Soukup, „Mor, masakr, Maria. Protižidovské aspekty pozdně středověké zbožnosti," in Kateřina Kubínová, ed., *Karel IV. a Emauzy: Liturgie – obraz – text* (Praha: Ústav dějin umění Akademie věd, 2018), s. 274-275.

13 ジムソン、前掲書、142 ～ 148 頁参照。

14 秋山、前掲書、148 ～ 159 頁参照。

15 Šroněk, *op. cit*., s. 2-5.

16 Cf. Jaromír Homolka, *Studie k počátkům umění krásného slohu v Čechách: k problematice společenské funkce výtvarného umění v předhusitských Čechách* (Praha: Acta Universitatis Carolinae, 1974), s. 27.

17 Cf. Boehm, *op. cit*., s. 141.

18 Cf. Kuthan a Royt, *op. cit.*, s. 55.

19 田中久美子『世界でもっとも美しい装飾写本』(エムディーエヌコーポレーション、2019 年)、118 ～ 119 頁参照。木島俊介『美しき時祷書の世界――ヨーロッパ中世の四季』(中央公論社、1995 年)、17 頁参照。

20 Cf. Crossley a Opačić, *op. cit*., s. 200. Kuthan a Royt, *op. cit.*, s. 59.

21 Karel IV, *op. cit*., s. 39.

22 Cf. Crossley a Opačić, *op. cit*., s. 200.

23 Cf. Jan Royt, *Praha Karla IV.* (Praha: Karolinum, 2016), s. 17. Crossley a Opačić, *op. cit*., s. 201-203.

24 Cf. Kuthan a Royt, *op. cit.*, s. 32. Crossley a Opačić, *op. cit.*, s. 205.

25 Zdeněk Veselý, ed., *Dějiny českého státu v dokumentech* (Praha: Epocha, 2003), s. 64.

26 Cf. Royt, *op. cit.*, s. 26. Bobková a Bartlová, *op. cit.*, s. 152-155.

27 Cf. Boehm, *op. cit.*, s. 263.

28 Cf. *ibid.*, s. 263-265.

29 Cf. Kuthan a Royt, *op. cit.*, s. 25-26.

30 Cf. Royt, *op. cit.*, s. 29, 36.

31 Cf. Crossley a Opačić, *op. cit*., s. 203. Kuthan a Royt, *op. cit.*, s. 33.

32 カレル 4 世の公式の史書においても、チェコ王国は大モラヴィア帝国の継承国家と見なされていた。Cf. Klára Benešovská a Kateřina Kubínová, „Počátky kláštera a jeho architektura," in Kubínová, ed., *Slovanský klášter Karla IV.*, s. 22.

33 現在のチェコを含む地域に 9 世紀中葉から 10 世紀初頭まで存在したスラヴ人の大モラヴィア帝国のロスチスラフ大公は、西に隣接する東フランク王国の影響から脱するため、862 年に、東ローマ帝国（ビザンチン）皇帝に東方典礼の宣教師を派遣してくれるように要請し、スラヴ語に通じていたギリシャ人学僧メトディオスとコ

ンスタンティノス（キュリロス、キリル）の兄弟を派遣してもらった。この2人とその弟子たちが、スラヴ語を表記する文字——初めはグラゴル文字、後にキリル文字——を考案して宗教的文献を古教会スラヴ語（staroslověnština）に翻訳し、スラヴ語による東方典礼を広めた。しかし、東フランク王国の政治的影響が強まる中で、彼らは（西方典礼を行う）フランク人聖職者たちとの競争に敗れて追放され、その結果チェコではスラヴ語典礼も廃れた。

なお、日本語の用語としての古教会スラヴ語は、かつては古代教会スラヴ語、古期教会スラヴ語とも言われていて、古代スラヴ語と言われることもある。主として教会の典礼などに用いる文語としての古教会スラヴ語は、12世紀以降、地域ごとの変異が進んだため、研究者は便宜的に1100年までの言語を古教会スラヴ語、それ以降を単に教会スラヴ語と言っている。服部文昭『古代スラヴ語の世界史』（白水社、2020年）4〜5頁、および三谷惠子『スラヴ語入門』（三省堂、2011年）53〜55頁参照。

34 Cf. Václav Čermák, „Hlaholské písemnictví," in Kubínová, ed., *Slovanský klášter Karla IV.*, s. 30.

35 Cf. Benešovská a Kubínová, *op. cit.*, s. 12-14. Crossley a Opačić, *op. cit.*, s. 204. Kuthan a Royt, *op. cit.*, s. 67. Jaroslava Staňková a Svatopluk Voděra, *Praha gotická a barokní* (Praha: Academie, 2001), s. 61. Bobková a Bartlová, *op. cit.*, s. 235-236.

36 Cf. Klára Benešovská, „Osudy kláštera od 15. do 21. století," in Kubínová, ed., *Slovanský klášter Karla IV.*, s. 130. なお、「ナ・スロヴァネフ修道院」は、ここでカトリックの典礼が復興された16世紀末以降「エマウズィ（エマオ）修道院」と呼ばれ、この修道院を含む複合宗教施設は「エマウズィ（エマオ）」と呼ばれるようになった。この名前は、『新約聖書』「ルカによる福音書」第24章13でイエスの弟子たちが復活したイエスに出会う村の名前エマオ（チェコ語でエマウズィ）から取られている。

37 Cf. Benešovská a Kubínová, *op. cit.*, s. 22.

38 これらの言い伝えには確証がなく、実際には、この写本はロシアで11世紀後半にキリル文字で書かれた部分に、「ナ・スロヴァネフ修道院」で1395年にグラゴル文字で書かれた部分が付け加えられたものと考えられている。Cf. Čermák, *op. cit.*, s. 32.

39 Cf. Ježková, *op. cit.*, s. 146. *Ottův slovník naučný*, Díl XXI (Praha: Nakladatelství J. Otto, 1904), s. 539-541.

40 この写本の画像が、次のサイトで公開されている：
https://en.wikipedia.org/wiki/Reims_Gospel （2021.1.2）

41 Cf. Crossley a Opačić, *op. cit.*, s. 213-214. Kuthan a Royt, *op. cit.*, s. 158, 163-165. Petr Čornej, et al., *Praha Husova a husitská: 1415-2015* (Praha: Scriptorium 2015), s. 18.

42 Cf. Jiří Fajt, „Karel IV. 1316-1378: Od napodobení k novému císařskému stylu," in Fajt, ed., *op. cit.*, s. 62. Royt, *op. cit.*, s. 54.「帝国宝物」は、1419年に「フス戦争」が勃発すると、カレル4世の息子である神聖ローマ皇帝ジギスムントによって、1421年にハンガリーへ、更に1424年にニュルンベルクへ移された（秋山、前掲書、159〜160頁参照）。

43 Cf. Anežka Vidmanová, „Karel IV. jako spisovatel,“ in Karel IV, *op. cit.*, s. 14.

44 アーロン・グレーヴィチ『中世文化のカテゴリー』川端香男里・栗原成郎訳（岩波書店、1992年）、152頁。

45 Cf. Fajt, „Karel IV. 1316-1378,“ s. 62. Royt, *op. cit.*, s. 50, 52.

46 Cf. Bobková a Bartlová, *op. cit.*, s. 247-248. Royt, *Praha středověká*, s. 52-53.

47 Cf. Royt, *Praha Karla IV.*, s. 48-50.

48 Cf. Fajt, „Karel IV. 1316-1378," s.53-54.

49 ただし、「皇帝様式」と呼ばれる諸作品の多様さゆえに、これを共通の術語として諸作品を解釈することは困難だという見方もある。また、この用語は、チェコがナチスに支配されていた20世紀前半の保護領時代にドイツ人が使い始めた「帝国様式」という呼び方に起源があることも問題にされている。Cf. Kuthan a Royt, *op. cit.,* s. 907, 976.

50 Cf. Fajt, „Karel IV. 1316-1378,“ s. 64-65.

51 Cf. Royt, *Praha Karla IV.*, s. 50-54. Kuthan a Royt, *op. cit.*, s. 235.

52 Cf. Fajt, „Karel IV. 1316-1378,“ s. 70-71.

53 Cf. *ibid.*, s. 73.

54 Kamil Boldan, et al., *Knižní kultura českého středověku* (Dolní Břežany: Scriptorium 2020), s. 254.

55 Boldan, et al., *op. cit.*, s. 263.

56 Cf. Jiří Fajt a Robert Suckale, „Okruh rádců,“ in Fajt, ed., *Karel IV*, s. 179.

57 Cf. Fajt, „Karel IV. 1316-1378,“ s. 74.

58 Cf. *ibid.*, s. 75.

59 Royt, *Praha Karla IV.*, s. 39.

60 Cf. *ibid.*, s. 47.

61 Cf. *ibid.*, s. 46. Bobková a Bartlová, *op. cit.*, s. 168-169.

62 Cf. Fajt, „Karel IV. 1316-1378,“ s. 59-60. Jiří Fajt a Robert Suckale, „Okruh rádců,“ s. 181-182. Jan Lehár et al., *Česká literatura od počátků k dnešku* (Praha: Nakladatelství lidové noviny, 1998), s. 42.

63 Cf. Royt, *Praha Karla IV.*, s. 40-43.

64 Cf. Kuthan a Royt, *op. cit.*, s. 33-34. Fajt a Suckale, *op. cit.*, s. 183.

第3章

1 Cf. Royt, *Praha středověká*, s. 58.

2 この勅令によって、大学の4票の決定権のうち、従来チェコ民（族）には1票しかなかったものを3票とし、すべての外国出身者に1票だけを当てることとした。

3 「美麗様式（美しい様式 krásný sloh）」の概念は、1933年にチェコの美術史家ヤロミール・ペチールカが最初に提起したという。Cf. Jan Klípa, *Kapitoly z deskové malby krásného slohu* (Praha: FFUK, disertační práce, 2006), s. 47. なお、「美麗様式」という訳語は、筆者が考えたものである。

4 小池、前掲書、70 頁。

5 Cf. Albert Kutal, *České gotické sochařství 1350–1450* (Praha: SNKLU, 1962), s. 79.

6 Cf. Marie Čtvrtníková, „*Krásné piety,*" *krásného slohu* (Praha, Diplomová práce FFUK, 2017), s. 38.

7 Cf. Kuthan a Royt, *Karel IV.: Císař a český král - vizionář a zakladatel*, s. 55-56.

8 Cf. Jiří Fajt a Barbara D. Boehm, „Vávlav IV. 1361-1419: Panovnická reprezentace v otcových šlépějích," in Fajt ed., *Karel IV. : Císař z Boží milosti*, s. 463-464.

9 Cf. Fajt a Boehm, *op. cit.*, s. 462. Čornej, et al., *op. cit.*, s. 13-17.

10 Cf. Gerhard Schmidt, „Internacionální gotika versus krásný styl," in Fajt, ed., *Karel IV.*, s. 541.

11 Cf. *ibid.*, s. 541.

12 Cf. Boldan, et al., *op. cit.*, s. 271, 275.

13 Cf. Schmidt, *op. cit.*, s. 542.

14 Cf. Bobková a Bartlová, *op. cit.*, s. 267.

15 Cf. *ibid.*, s. 272.

16 Arnošt Kraus, „Německá literatura na půdě ČSR do roku 1848," in *Československá vlastivěda*, 7 (Praha: Orbis, 1933), s. 299.

17 Boldan, et al., *op. cit.*, s. 278-281.

18 Cf. Fajt a Boehm, *op. cit.*, s. 479.

19 Cf. Jan Royt, *Mistr Třeboňského oltáře* (Praha: Karolinum, 2013), s. 155-157. Royt, *Praha středověká*, s. 156.

20 Cf. Royt, *Mistr Třeboňského oltáře*, s. 161-163.

21 次を参照：https://sbirky.ngprague.cz/dielo/CZE:NG.O_1457 (2021.01.10)

22 Cf. Bobková a Bartlová, *op. cit.*, s. 265-266.

23 Cf. Royt, *Mistr Třeboňského oltáře*, s. 125-126.

24 Cf. Fajt, ed., *Karel IV.*, s. 303.

25 Cf. *ibid.*, s. 453.

26 Jana Hrbáčová, „Motiv Piety ve středověkém umění," in *Křivákova Pieta: Restaurování 2005 / 2013-2014* (Olomouc: Muzeum umění Olomouc, 2015), s. 13.

27 次を参照：
https://www.flickr.com/photos/ralf_heinz/sets/72157632308738387/ (2020.06.10)

28 Cf. Čtvrtníková, *op. cit.*, s. 18-23.

29 次を参照：https://www.picuki.com/media/1746697995474071338 (2021.01.30)

30 次を参照：
https://www.bayerisches-nationalmuseum.de/index.php?id=475&L=1&tx_paintingdb_pi%5Bp%5D=16&cHash=1712166f44e571c7b58aebae9e137db0 (2020.06.10)

31 Homolka, *op. cit.*, s. 55.

32 Cf. Čtvrtníková, *op. cit.*, s. 19-20, 23.

33 Cf. Homolka, *op. cit.*, s. 75.

34 Cf. Čtvrtníková, *op. cit.*, s. 15-16.

35 Cf. Royt, *Mistr Třeboňského oltáře*, s. 153.

36 Cf. Bobková a Bartlová, *op. cit.*, s. 261.

37 Cf. Royt, *Praha středověká*, s. 156-157.

38 Cf. Bobková a Bartlová, *op. cit.*, s. 205-206, 337-339.

39 Cf. *ibid.*, s. 261.

40 Cf. *ibid.*, s. 264.

41 Royt, *Mistr Třeboňského oltáře*, s. 88.

42 *Ibid.*, s. 82-89.

43 Cf. Homolka, *op. cit.*, s. 2, 49-51.

44 Cf. Čornej, et al., *op. cit.*, s. 13.

45 主なものとしては、《バーデン・バイ・ウィーンのピエタ》（1370 ～ 80 年頃？、プラハで制作。第 2 次世界大戦中に破壊されて、現在は残骸のみ残る）、《マールブルクのピエタ》（1380 ～ 90 年頃、プラハで制作）、《マリーエンシュタットのピエタ》（1380 ～ 90 年頃）、《ヴロツワフの（聖エルジュビェタ教会の）ピエタ》（1384 年？）（第 2 次世界大戦中に破壊されて、現在は残骸のみ残る）、《マクデブルクのピエタ》（1390 ～ 95 年頃、プラハで制作）、《クシヴァークのピエタ》（1390 ～ 1400 年頃？、プラハで制作）、《ゼーオン（修道院）のピエタ》（1390 ～ 1400 年頃、プラハで制作）、《イフラヴァの聖イグナティウス・デ・ロヨラ教会のピエタ》（1400 年頃、プラハで制作）などがある。

46 Matthias Weniger, „Olomoucká Pieta a sériová výroba luxusních soch v Praze doby Lucemburků," in *Křivákova Pieta: Restaurování 2005 / 2013-2014*, s. 33.

47 次を参照：
http://www.lootedart.pl/katalog-strat-wojennych/obiekt?obid=5557 (2020.06.10)

48 Cf. Stefan Roller, „Pieta z Olomouce, zv. Křivákova," in Fajt, ed., *Karel IV.*, s. 303.

49 次を参照：
https://commons.wikimedia.org/w/index.php?search=Pi%C4%99kna+Madonna+z+Wroc%C5%82awia&title=Special%3ASearch&go=Go&ns0=1&ns6=1&ns12=1&ns14=1&ns100=1&ns106=1#/media/File:Pi%C4%99kna_Madonna_z_Wroc%C5%82awia.png (2020.06.10)

50 Cf. Fajt, ed., *Karel IV.*, s. 398.

51 Cf. Schmidt, *op. cit.*, s. 544.

52 Cf. *ibid.*, s. 545.

53 Cf.. Klípa, *op. cit.*, s. 83.

54 Cf. Schmidt, *op. cit.*, s. 546-547.

55 Cf. *ibid.*, s .547.

56 Cf. Šroněk, *op. cit.*, s. 8-9.

57 *Ibid.*, s. 4.

58 *Ibid.*, s. 4.

59 Cf.. Homolka, *op. cit.*, s. 27, 75-78.

60 Cf. Šroněk, *op. cit.*, s. 7.

61 Cf. *ibid.*, s. 17. Homolka, *op. cit.*, s. 77-78.

62 次を参照：
https://www.restauratorky.cz/pieta-z-jihlavy-kostel-sv-ignace-cesky-mistr-po-roce-1390 (2020.1.20)

63 Cf. Royt, *Praha Karla IV*, s. 54.

64 Cf. *ibid.*, s. 54.

65 Cf. *ibid.*, s. 42.

66 Cf. *ibid.*, s. 45.

67 Cit. in Royt, *Mistr Třeboňského oltáře*, s. 81.

68 Jan Hus, „Výklad desatera božieho přikázanie," in Karel Jaromír Erben, ed., *Mistra Jana Husi sebrané spisy české : Z nejstarších známých pramenů* (Praha: Nákladem Bedřicha Tempského, 1865), s. 71.

69 Hus, *op. cit.*, s. 72.

70 Cf. Fajt, ed., *Karel IV.*, s. 558.

71 Cf. Royt, „Církevní reformy a husité," in Fajt, ed., *Karel IV.: Císař z Boží milosti,* s. 555.

72 Cf. *ibid.*, s. 559.

73 Cf. *ibid.*, s. 556.

74 Cf. *ibid.*, s. 555-556.

75 Cf. *ibid.*, s. 561.

76 Cf. *ibid.*, s. 559.

77 Cf. Šroněk, *op. cit.*, s. 14.

78 Cf. *ibid.*, s. 17.

79 Cf. Kutal, *op. cit.*, s. 81.

80 ホイジンガ『中世の秋』Ｉ、堀越孝一訳（中央公論新社、2001 年）、333 頁。

81 次を参照：
http://commons.wikimedia.org/wiki/File:Michelangelo%27s_Pieta_5450_cropncleaned.jpg

82 А. Я. Гуревич, *Проблемы средневековой народной культуры* (Москва: Искусство, 1981), c. 322.

第４章

1 Cf. Lehár et al., *op. cit.*, s. 107.

2 Cf. *ibid.*, s. 11.

3 Cf. *ibid.*, s. 41. チェコ王の宮廷で活動したミンネゼンガーには、次のような者たちがいた。ドイツ出身のラインマル・フォン・ツヴェーター（Reinmar von Zwetter。1200 頃～ 60 頃）、ジーゲヘア（Sigeher。？～？）、ハインリヒ・フォン・フライベルク（Heinrich von Freiberg。13 世紀後半～ 14 世紀前半）、ハインリヒ・フォン・マイセン（Heinrich von Meißen。1250 ／ 60 ～ 1318）、オーストリア出身のフリー

ドリヒ・フォン・ゾンネンブルク（Friedrich von Sonnenburg。1220 頃～ 75 以後）、ウルリッヒ・フォン・デム・テュールリン（Ulrich von dem Türlin）（？～ 1269 頃）、チェコ出身のウルリヒ・フォン・エッツェンバッハ（Ulrich von Etzenbach。1250 頃～ 1300 以後）。

4 Cf. Lehár et al., *op. cit.*, s. 41-42.

5 『マネッセ写本』はハイデルベルク大学図書館がＷＥＢ上で公開していて、ヴァーツラフ２世の詩のテクストが次のページにある。
http://www.ldm-digital.de/autoren.php?au=Wenz （2021.01.09）

6 Cf. Lehár et al., *op. cit.*, s. 51.

7 Cf. *ibid.*, s. 42.

8 グレーヴィチ、前掲書、168 頁。

9 Cf. Tomáš Slavický, „Píseň svatého Vojtěcha. Tradice písmě Hospodine, pomiluj ny, svatovojtěšská legenda a pražský Slovanský klášter," in Kubínová, ed., *op. cit*. s. 77-81.

10 *Alexandreida* (Praha: Nakladatelství Československé akademie věd, 1963), s. 118.

11 「jazyk」は、現代チェコ語では「言語」を意味するが、古チェコ語では「言語」のほか「民族」という意味もあった。

12 *Dalimilova kronika* (Praha: Městská knihovna v Praze, 2011), s. 109.

13 *Ibid.*, s. 144-145.

14 „Jidáš," in *Výbor z české literatury od počátku po dobu Husovu* (Praha: Nakladatelství Československé akademie věd, 1957), s. 203.

15 „Legenda o svatém Prokopu," in *Dvě legendy z doby Karlovy* (Praha: Nakladatelství Československé akademie věd, 1959), s. 60-61.

16 Cf. Bobková a Bartlová, *op. cit.*, s. 203.

17 Cf. *ibid.*, s. 80-81.

18 Cf. Lehár et al., *op. cit.*, s. 42.

19 Cf. *ibid.*, s. 84. s. 174-175. Bobková a Bartlová, *op. cit.*, s. 174-175.

20 Cf. Kraus, *op. cit.*, s. 299.

21 Cf. Lehár et al., *op. cit.*, s. 72-73.

22 Cf. Walter Schamschula, ed., *An Anthology of Czech Literature, 1st Period: From the Beginnings until 1410* (Frankfurt am Main • Bern • New York • Paris: Peter Lang, 1991), p. 183.

23 Cf. Daniel Soukup, „Tkadleček: Vernakularizace filozofického myšlení," *Bohemica litteraria*, 17(2014 / 2), s. 34.

24 *Tkadleček*, s. 20, 22.

25 *Ibid.*, s. 23.

26 Cf. *ibid.*, s. 24-25.

27 Cf. *ibid.*, s. 35-37.

28 Soukup, *op. cit.*, s. 41.

29 Soukup, *op. cit.*, s. 43-48.

30 ボエティウス『哲学の慰め』渡辺義雄訳、『世界古典文学全集』第 26 巻（筑摩書房、

1966年）所収、358～359頁。
31　同、402頁。
32　同、363頁。
33　ヨハネス・フォン・テープル『ボヘミアの農夫——死との対決の書』石井誠士・池本美和子訳（人文書院、1996年）、44頁。
34　同、47頁。
35　同、48頁。
36　同、48頁。
37　同、80～82頁。
38　同、85～86頁。
39　同、32～33。
40　同、60頁。
41　『聖書』聖書協会同訳（日本聖書協会、2018年）、（旧）790頁。
42　同、（旧）778頁。
43　同、（旧）782頁。
44　同、（旧）764頁。
45　ボエティウスは次のように述べている。「神が支配者であることを知った今となっては、私の驚きは深まるばかりです。神はしばしば善人にうれしいことを、悪人につらいことを与えるが、また反対に善人に苦しいことを授け、悪人に望みをかなえさせるから、もしその原因が見出されなければ、どうして神はでたらめな偶然とは異なると見られるでしょうか」（傍点引用者）（ボエティウス、前掲書、412頁）。（一方、もしもすべてが神の摂理に従って動いているとすれば）「事物のあらゆる秩序は摂理に由来し、人間の計画には何も残されていませんから、私たちの悪徳もあらゆる善の創造者［神］に帰せられることになります」（同、424頁）。
46　前掲『聖書』、（旧）792、815、816頁。
47　Cf. Soukup, *op. cit.*, s. 38.
48　*Tkadleček*, s. 110.
49　*Ibid.*, s. 68.
50　*Ibid.*, s. 114-118.
51　Soukup, *op. cit.*, s. 40.
52　*Tkadleček*, s. 80.
53　Cf. Soukup, *op. cit.*, s. 30.
54　Cf. Lehár et al., *op. cit.*, s. 70-71.
55　前掲『聖書』、（新）95頁。
56　ミハイール・バフチーン『フランソワ・ラブレーの作品と中世・ルネッサンスの民衆文化』川端香男里訳（せりか書房、1974年）、11～26頁参照。
57　„Mastičkář" in *Výbor z české literatury od počátku po dobu Husovu*, s. 249-250.
58　*Ibid.*, s. 253.
59　*Ibid.*, s. 250.

60 *Ibid.*, s. 251.

61 *Ibid.*, s. 255.

62 *Ibid.*, s. 256.

63 *Ibid.*, s. 257.

64 *Ibid.*, s. 250.

65 *Ibid.*, s. 249.

66 Jarmila F. Veltruský, *A Sacred Farce from Medieval Bohemia: Mastičkář* (Ann Arbor: The University of Michigan, 1985), p. 286.

67 Cf. *ibid.*, pp. 125-127.

68 Гуревич, *Проблемы средневековой народной культуры*, с. 272, 275.

69 *Там же*, с. 279.

70 *Там же*, с. 279.

71 *Там же*, с. 283.

72 *Там же*, с. 323.

73 阿部謹也『中世賤民の宇宙——ヨーロッパ原点への旅』(筑摩書房、1987 年)、285 〜 286 頁。

74 ホイジンガ、前掲『中世の秋』Ⅰ、391 頁。

75 Cf. Lehár et al., *op. cit.*, s. 88-89.

76 Jan Patočka, *Co jsou Češi* (Praha: Panorama, 1992), s. 46.

77 次のテクストによる。Petr Chelčický, *Ze sítě víry* (Praha: Československý spisovatel, 1990).

78 Chelčiký, *op. cit.*, s. 59.

79 Cf. Tomislav Volek a Stanislav Jareš, eds., *Dějiny české hudby v obrazech : od nejstarších památek do vybudování Národního divadla* (Praha : Editio Supraphon, 1977), s. 12.

80 Cf. *ibid.*, s. 13.

81 Supraphon 社が出している「ROSA MYSTICA (Schola Gregoriana Pragensis)」というＣＤ（https://www.supraphon.com/album/339-rosa-mystica）には、イェンシュテインのヤン（John of Jenštejn）の作った「聖母マリア御訪問祭」の聖歌（Office of the Visitation of the Virgin Mary）が 5 曲収められており、ＣＤのダウンロード版が Amazon でも販売されている。また、その何曲かは、次の YouTube のサイトでも聴くことができる。
https://www.youtube.com/watch?v=_DT4wzU1flE （2021.01.10）。

82 Cf. Volek a Jareš, eds., *op. cit.*, s. 12-13.

83 Cf. Bobková a Bartlová, *op. cit.*, s. 211.

84 Cf. Vladimír Spousta, *Hudebně-literární slovník II. Hudební díla inspirovaná slovesným uměním: Čeští skladatelé* (Brno: Masarykova univerzita, 2011), s. 115.

85 Cf. Volek a Jareš, eds., *op. cit.*, s. 13-14. Lehár et al., *op. cit.*, s. 96.

## 終章

1　酒井、前掲書、101 ～ 107 頁参照。馬杉宗夫『ゴシック美術――サン・ドニからの旅立ち』（八坂書房、2003 年）、63、84 頁参照。
2　ウンベルト・エコ『中世美学史――『バラの名前』の歴史的・思想的背景』谷口伊兵衛訳（而立書房、2001 年）、26 頁。
3　馬杉、前掲書、63 頁参照。
4　グレーヴィチ、前掲書、419 頁。
5　エコ、前掲書、117、255 頁。
6　同、181 頁。
7　田中、前掲書、6 頁参照。
8　同、94 頁。
9　木島、前掲書、9、116 頁参照。
10　Cf. Boldan, et al., *op. cit*., s. 225.
11　ルイ・グロデッキ『ゴシックのステンドグラス』黒江光彦訳（岩波書店、1993 年）27 ～ 28 頁。
12　フォシヨン、前掲書、177 頁。
13　アーウィン・パノフスキー『ゴシック建築とスコラ学』前川道郎訳（平凡社、1987 年）、8、34 頁。
14　ホイジンガ、前掲『中世の秋』Ⅰ、333 頁。
15　石川達夫『プラハのバロック――受難と復活のドラマ』（みすず書房、2015 年）。

## 付表

1　Jiří Kuthan a Jan Royt, *Karel IV. : Císař a český král - vizionář a zakladatel* (Praha: Nakladatelství Lidové noviny, 2016), s. 57 の表に基づいて筆者が作成。
2　Roman Lavička, *Pozdně gotické kostely na rožmberském panství* (České Budějovice: Národní památkový ústav, 2013), s. 340-341 の表に基づいて筆者が作成。

# 主要参考文献一覧

欧語文献


*Alexandreida* (Praha: Nakladatelství Československé akademie věd, 1963).

Bartoš, Jaroslav, et al., *Dějiny českého divadla. I, Od počátků do sklonku osmnáctého století* (Praha: Academia, 1968).

Bauer, Jan, *Karel IV.: Císař a král* (Praha: Brána, 2016).

Bobková, Lenka, a Bartlová, Milena, *Velké dějiny zemí Koruny české,* sv. IV. b (Praha: Paseka, 2003).

Bobková, Lenka, *Velké dějiny zemí Koruny české*, sv. IV. a (Praha: Paseka, 2003).

Bobková, Lenka, a Holá, Mlada, eds., *Lesk královského majestátu ve středověku* (Praha – Litomyšl: Paseka, 2005).

Boldan, Kamil, et al., *Knižní kultura českého středověku* (Dolní Břežany: Scriptorium 2020).

Boněk, Jan, *Pražská katedrála* (Praha: Eminent, 2010).

Bravermanová, Milena, a Chotěbor, Petr, eds., *Katedrála sv. Víta a Karel IV.* (Praha: Správa Pražského hradu, 2016).

Čornej, Petr, et. al., *Praha Husova a husitská: 1415-2015* (Praha: Scriptorium 2015).

Čornej, Petr, *Velké dějiny zemí Koruny české*, sv. V. (Praha: Paseka, 2000).

Čtvrtníková, Marie, *„Krásné piety" krásného slohu* (Praha, Diplomová práce FFUK, 2017).

*Dalimilova kronika* (Praha: Městská knihovna v Praze, 2011).

David, Petr, Soukup, Vladimír, a Thoma, Zdeněk, *Skvosty Prahy* (Praha: Knižní klub, 2012).

*Dějiny českého výtvarného umění, sv. I/1, I/2 : Od počátků do konce středověku* (Praha: Academia, 1984).

*Dvě legendy z doby Karlovy* (Praha: Nakladatelství Československé akademie věd, 1959).

Dvořáková, Vlasta, a Menclová, Dobroslava, *Karlštejn* (Praha: Státní nakladatelství krásné literatury a umění, 1965).

Erben, Karel Jaromír, ed., *Mistra Jana Husi sebrané spisy české: Z nejstarších známých pramenů* (Praha: Nákladem Bedřicha Tempského, 1865).

Fajt, Jiří, *Gotika v západních Čechách (1230-1530)* I.II.III. (Praha: Národní galerie, 1995, 1996).

Id., ed., *Karel IV.: Císař z Boží milosti* (Praha: Academia, 2006).

Id., ed., *Magister Theodoricus : Court Painter to Charles IV.* (Praha: Národní galerie, 1998).

Filip, Aleš, a Teplý, Libor, *Katedrála sv. Petra a Pavla v Brně* (Brno: Fotep 2006).

*Gotika: Architektura - Sochařství - Malířství* (Praha: Slovart, 2005).

Гуревич, А. Я., *Проблемы средневековой народной культуры* (Москва: Искусство, 1981).

Hlobil, Ivo, *Katedrála sv. Víta v Praze* (Praha: Opus Publishing Limited, 2006).

Holeton, David R., a Vlhová-Wörner, Hana, eds., *Jistebnický kancionál*, sv. 1, 2 (Brno: L. Marek, 2005, 2019).

Homolka, Jaromír, *Studie k počátkům umění krásného slohu v Čechách: k problematice společenské funkce výtvarného umění v předhusitských Čechách* (Praha: Acta Universitatis Carolinae, 1974).

Chadraba, Rudolf, *Dějiny českého výtvarného umění I: Od počátků do konce středověku* (Praha: Academia, 1984).

Chelčický, Petr, *Ze sítě víry* (Praha: Československý spisovatel, 1990).

Chotěbor, Petr, *Pražský hrad: Podrobný průvodce* (Praha: Pražské nakladatelství Jiřího Poláčka, 1994).

Ježková, Alena, *Karel IV. a jeho Praha* (Praha: Tichá srdce, 2016).

Jindra, Petr, a Ottová, Michaela, eds., *Obrazy krásy a spásy: Gotika v jihozápadních Čechách* (Řevnice: Arbor vitae, Západočeská galerie, 2013).

Kalina, Pavel, a Koťátko, Jiří, *Praha 1437-1610: Kapitoly o pozdně gotické a renesanční architektuře* (Praha: Libri, 2011).

Kalista, Zdeněk, *Karel IV. Jeho duchovní tvář* (Praha: Vyšehrad, 2007).

Karel IV., *Literární dílo* (Praha: Vyšehrad, 2000).

Klípa, Jan, *Kapitoly z deskové malby krásného slohu* (Praha: FFUK, disertační práce, 2006).

Kratochvíl, Petr, et. al., *Velké dějiny zemí Koruny české - Architektura* (Praha: Paseka, 2009).

Kraus, Arnošt, „Německá literatura na půdě ČSR do roku 1848," in *Československá vlastivěda*,7 (Praha: Orbis,1933).

*Křivákova Pieta: Restaurování 2005 / 2013-2014* (Olomouc: Muzeum umění Olomouc, 2015).

Kubínová, Kateřina, ed., *Karel IV. a Emauzy: Liturgie – obraz – text* (Praha: Ústav dějin umění Akademie věd, 2018).

Id., ed., *Slovanský klášter Karla IV.: Zbožnost, umění, vzdělanost* (Praha: Artefactum, 2016).

Kutal, Albert, *České gotické sochařství 1350-1450* (Praha: Státní nakladatelství krásné literatury a umění, 1962).

Id., *Pieta z kostela sv. Tomáše v Brně* (Brno: Akord, 1937).

Kuthan, Jiří, a Royt, *Jan, Karel IV.: Císař a český král - vizionář a zakladatel* (Praha: Nakladatelství Lidové noviny, 2016).

Id., *The Cathedral of St. Vitus at Prague Castle* (Praha: Karolinum, 2017).

Lavička, Roman, *Pozdně gotické kostely na rožmberském panství* (České Budějovice: Národní památkový ústav, 2013).

Lehár, Jan, et al., *Česká literatura od počátků k dnešku* (Praha: Nakladatelství lidové noviny, 1998).

Mencl, Václav, *Česká architektura doby lucemburské* (Praha: Sfinx, 1948).

Niklesová, Eva, *Dialogy zoufalců: poetika a struktury - Dialogické texty o smyslu lidské existence v nejstarších světových literaturách a v literaturách středoevropského areálu* (Brno: Masarykova Univerzita, 2016).

Pavlík, Čeněk, *Velký obrazový atlas gotických kachlových reliéfů: Čechy, Morava, české Slezsko* (Praha: Libri, 2017).

Petrasová, Taťána, a Švácha, Rostislav, eds., *Dějiny umění v českých zemích 800 - 2000* (Praha: Arbor vitae, 2017).

Pospíšil, Aleš, ed., *Kutná Hora* (Praha: Foibos, 2014).

Royt, Jan , *Gotické deskové malířství v severozápadních a severních Čechách 1340-1550* (Praha: Karolinum, 2015).

Id., *Mistr Třeboňského oltáře* (Praha: Karolinum, 2013).

Id., *Praha Karla IV.* (Praha: Karolinum, 2016).

Id., *Praha středověká* (Praha: Karolinum, 2019).

Schamschula, Walter, ed., *An Anthology of Czech Literature, 1st Period: From the Beginnings until 1410* (Frankfurt am Main • Bern • New York • Paris: Peter Lang, 1991).

Soukup, Daniel, „Tkadleček: Vernakularizace filozofického myšlení," *Bohemica litteraria*,17(2014 / 2).

Spousta, Vladimír, *Hudebně-literární slovník, II. Hudební díla inspirovaná slovesným uměním: Čeští skladatelé* (Brno: Masarykova univerzita, 2011).

Staňková, Jaroslava, a Voděra, Svatopluk, *Praha gotická a barokní* (Praha: Academie, 2001).

*Středověké legendy o českých světcích* (Praha: Nakladatelství Lidové noviny, 1998).

Šimůnek, Robert, *Kutná Hora* (Praha: Historický ústav AV ČR, 2010).

Šroněk, Michal, „Rouška Panny Marie: Relikvie ve sporu mezi římskými katolíky a utrakvisty v Čechách ve 14. a 15. století," *Umění*, 57 (2), 2009.

*Tkadleček: Hádka milence s Neštěstím* (Praha: Městská knihovna v Praze, 2018)(Verze 1.0 z 4. 10. 2018).

Uhlíř, Zdeněk, *Karel IV.: Sen gotické svobody* (Praha: Národní knihovna České republiky, 2017).

*Umění gotiky na Chebsku* (Cheb: Galerie výtvarného umění, 2009).

Vaňková, Ludmila, *Karel IV.: Otec vlasti* (Praha: Šulc a Švarc, 2016).

Veltruský, Jarmila F., *A Sacred Farce from Medieval Bohemia: Mastičkář* (Ann Arbor: The University of Michigan, 1985).

Veselý, Zdeněk, ed., *Dějiny českého státu v dokumentech* (Praha: Epocha, 2003).

Vlček, Pavel, ed., *Umělecké památky Prahy: Staré Město, Josefov* (Praha: Academie, 1996).

Id., ed., *Umělecké památky Prahy: Nové Město, Vyšehrad* (Praha: Academie, 1998).

Id., ed., *Umělecké památky Prahy: Malá Strana* (Praha: Academie, 1999).

Id., ed., *Umělecké památky Prahy: Pražský hrad a Hradčany* (Praha: Academie, 2000).

Volek, Tomislav, a Jareš, Stanislav, eds., *Dějiny české hudby v obrazech : od nejstarších památek do vybudování Národního divadla* (Praha : Editio Supraphon, 1977).

*Výbor z české literatury od počátku po dobu Husovu* (Praha: Nakladatelství Československé akademie věd, 1957).

邦語文献

秋山聰『聖遺物崇敬の心性史――西洋中世の聖性と造形』（講談社学術文庫、2018 年）

浅野和生『ヨーロッパの中世美術――大聖堂から写本まで』（中公新書、2009 年）

阿部謹也『中世賤民の宇宙――ヨーロッパ原点への旅』（筑摩書房、1987年）
同、『西洋中世の罪と罰――亡霊の社会史』（弘文堂、1989年）
同、『中世の窓から』（ちくま学芸文庫、2017年）
飯田喜四郎『ゴシック建築のリブ・ヴォールト』（中央公論美術出版、1989年）
石川達夫『黄金のプラハ――幻想と現実の錬金術』（平凡社、2000年）
同、『プラハのバロック――受難と復活のドラマ』（みすず書房、2015年）
ヴォリンガー、ウィルヘルム・『ゴシック美術形式論』中野勇訳（文藝春秋、2016年）
馬杉宗夫『ゴシック美術――サン・ドニからの旅立ち』（八坂書房、2003年）
エコ、ウンベルト・『中世美学史――『バラの名前』の歴史的・思想的背景』谷口伊兵衛訳（而立書房、2001年）
加藤耕一『ゴシック様式成立史論』（中央公論美術出版、2012年）
樺山紘一『ゴシック世界の思想像』（岩波書店、1976年）
木島俊介『美しき時祷書の世界――ヨーロッパ中世の四季』（中央公論社、1995年）
木俣元一『ゴシックの視覚宇宙』（名古屋大学出版会、2013年）
木俣元一・小池寿子『西洋美術の歴史３――中世Ⅱ　ロマネスクとゴシックの宇宙』（中央公論新社、2017年）
グレーヴィチ、アーロン・『中世文化のカテゴリー』川端香男里・栗原成郎訳（岩波書店、1992年）
グロデッキ、ルイ・『ゴシック建築』前川道郎・黒岩俊介訳（本の友社、1997年）
同、『ゴシックのステンドグラス』黒江光彦訳（岩波書店、1993年）
小池寿子『「死の舞踏」への旅――踊る骸骨たちをたずねて』（中央公論新社、2010年）
酒井健『ゴシックとは何か――大聖堂の精神史』（ちくま学芸文庫、2006年）
酒寄進一「Ｊ・Ｖ・テープルの『ボヘミアの農夫』――分裂と和合の希求」『Stufe』４号（1984年10月）
佐藤達生・木俣元一『図説　大聖堂物語―― ゴシックの建築と美術』（河出書房新社 、2011年）
シェイクスピア、ウィリアム・『リチャード二世』小田島雄志訳（白水Ｕブックス、1983年）
ジムソン、Ｏ・フォン・『ゴシックの大聖堂――ゴシック建築の起源と中世の秩序概念』前川道郎訳（みすず書房、1985年）
『聖書』聖書協会同訳（日本聖書協会、2018年）
田中久美子『世界でもっとも美しい装飾写本』（エムディーエヌコーポレーション、2019年）
テープル、ヨハネス・フォン・『ボヘミアの農夫――死との対決の書』石井誠士・池本美和子訳（人文書院、1996年）
テプラ、ヨハネス・デ・『死神裁判――妻を奪われたボヘミア農夫の裁判闘争』青木三陽・石川光庸訳（現代書館、2018年）
トーマン、ロルフ・編『ヨーロッパの大聖堂』忠平美幸訳（河出書房新社、2017年）
橋本郁雄「『アッカーマン』覚書」『一橋論叢』63（5）（1970年）
服部文昭『古代スラヴ語の世界史』（白水社、2020年）

パノフスキー、アーウィン・『ゴシック建築とスコラ学』前川道郎訳（平凡社、1987年）
バフチーン、ミハイール・『フランソワ・ラブレーの作品と中世・ルネッサンスの民衆文化』川端香男里訳（せりか書房、1974年）
フォシヨン、H・『西欧の芸術２――ゴシック』（上）（下）神沢栄三他訳（鹿島出版会、1976年）
フランクル、パウル・『ゴシックとは何か――８世紀にわたる西欧の自問』黒岩俊介訳（中央公論美術出版、2016年）
フルカネリ『大聖堂の秘密』平岡忠訳（国書刊行会 、2002年）
ホイジンガ、ヨハン・『中世の秋』Ⅰ・Ⅱ、堀越孝一訳（中央公論新社、2001年）
ボエティウス『哲学の慰め』渡辺義雄訳、『世界古典文学全集』第26巻（筑摩書房、1966年）所収
ボッカッチョ、ジョヴァンニ『デカメロン』平川祐弘訳（河出書房新社、2012年）
マーク、ロバート・『ゴシック建築の構造』飯田喜四郎訳（鹿島出版会、1983年）
マール、エミール・『ゴシックの図像学』上・下（国書刊行会、1998年）
前川道郎『ゴシックと建築空間』（ナカニシヤ出版、1978年）
同、『ゴシックということ』（学芸出版社、1992年）
マコーレイ、デビッド・『カテドラル――最も美しい大聖堂のできあがるまで』飯田喜四郎訳（岩波書店、1979年）
三谷惠子『スラヴ語入門』（三省堂、2011年）
村上陽一郎『ペスト大流行――ヨーロッパ中世の崩壊』（岩波新書、1983年）
山田圭一『ゴシックの大聖堂――ある精神の遍歴』（クレオ、2006年）
柳宗玄編『ロマネスク・ゴシックの聖堂 』（講談社、1980年）
ヤンツェン、ハンス・『ゴシックの芸術――大聖堂の形と空間』前川道郎訳（中央公論美術出版、1999年）
ラスキン、ジョン・『ゴシックの本質』川端康雄訳（みすず書房、2011年）
ロイル、トレヴァー・『薔薇戦争新史』陶山昇平訳（彩流社、2014年）

# 図版一覧

図 1-15　聖母マリア被昇天教会　By Sokoljan　(Free License)
https://commons.wikimedia.org/wiki/File:Most_klenba_z_emp_DSCN4602.JPG　(2021.8.18)
図 1-16　プラハ城内ヴラヂスラフ・ホール　筆者撮影
図 1-17　プラハ城内の旧議事堂　筆者撮影

第２章
図 2-1　カレル４世の親戚関係略図
図 2-2　聖ヴィート大聖堂（南側）　筆者撮影
図 2-3　雪の聖母マリア教会（南側）　筆者撮影
図 2-4　雪の聖母マリア教会（内部）　筆者撮影
図 2-5　聖母マリアと聖カール大帝教会　筆者撮影
図 2-6　カレル橋　筆者撮影
図 2-7　旧市街橋塔　筆者撮影
図 2-8　カルルシュテイン城　筆者撮影
図 2-9　《聖カール大帝》 筆者撮影

第３章
図 3-1　《聖ヴァーツラフ像》 筆者撮影
図 3-2　《聖ヴァーツラフ像》 筆者撮影
図 3-3　《座る聖母》 筆者撮影
図 3-4　『ヴァーツラフ４世の聖書』 Free Christ Images (Free License)
http://freechristimages.org/images_illuminated/Initial_Letter_L_of_Genesis_Wenceslas_Bible_Illuminated_1389.jpg　(2021.8.18)
図 3-5　《キリストの埋葬》 筆者撮影
図 3-6《キリストの復活》 筆者撮影
図 3-7　《聖カタリナ、マグダラのマリア、マルケータ》 筆者撮影
図 3-8　《ロウドニツェの聖母》 筆者撮影
図 3-9　《聖バルボラ（巡礼礼拝堂から）の磔刑》 筆者撮影
図 3-10　《苦悩の聖母（悲しみの聖母）マリア》 筆者撮影
図 3-11　《キリストの哀悼》 筆者撮影
図 3-12　《ラーセニツェのピエタ》 筆者撮影
図 3-13　《イフラヴァの聖大ヤクプ教会のピエタ》 By NoJin　(Free License)
https://commons.wikimedia.org/wiki/File:Pieta-(kolem-r.-1330),-kaple-Panny-Marie-Bolestn%C3%A9,-Kostel-sv.-jakuba,-Jihlava.jpg　(2021.8.18)
図 3-14　《クシヴァークのピエタ》 筆者撮影
図 3-15　《キリスト降誕》 筆者撮影
図 3-16　《キリストの哀悼》 筆者撮影
図 3-17　トシェボニの祭壇のマイスター関係図
図 3-18　《シュテルムベルクの聖母》 By NoJin　(Free License)

第 4 章



終章

## 著者紹介

石川達夫（いしかわ・たつお）

1956年東京生まれ。東京大学文学部卒業。プラハ・カレル大学留学の後、東京大学大学院人文科学研究科博士課程単位取得退学。博士（文学）。広島大学助教授・神戸大学教授を経て、現在、専修大学教授・神戸大学名誉教授。スラヴ文化論専攻。

著書：『チェコ民族再生運動』（岩波書店）、『プラハのバロック』（みすず書房）、『マサリクとチェコの精神』（成文社）（サントリー学芸賞および木村彰一賞）、『黄金のプラハ』（平凡社）、『プラハ歴史散策』（講談社）、『チェコ語初級』『チェコ語中級』（大学書林）など。

編著：『チェコ語日本語辞典』全5巻（成文社）、『PDIC デジタル　チェコ語日本語・日本語チェコ語辞典』（Vector）

訳書：パトチカ『歴史哲学についての異端的論考』（みすず書房）、クロウトヴォル『中欧の詩学』（法政大学出版局）、チャペック『マサリクとの対話』、『チャペック小説選集』第1・2・6巻（『受難像』『苦悩に満ちた物語』『外典』）、マサリク『ロシアとヨーロッパ』全3巻（Ⅱ・Ⅲは共訳）（以上、成文社）、フラバル『あまりにも騒がしい孤独』、シュクヴォレツキー『二つの伝説』（共訳）（以上、松籟社）、『チャペックの犬と猫のお話』（河出文庫）など。

2016年イジー・ホスコヴェツ賞（チェコ）受賞

HP ＝ https://tishi.jimdofree.com/

チェコ・ゴシックの輝き――ペストの闇から生まれた中世の光――

2021年9月28日　初版第1刷発行

著　者　石川達夫
装幀者　山田英春
発行者　南里　功

発行所　成文社

〒258-0026 神奈川県開成町延沢 580-1-101
電話 0465 (87) 5571
振替 00110-5-363630
http://www.seibunsha.net/

落丁・乱丁はお取替えします

組版　編集工房 dos.
印刷・製本　シナノ



Printed in Japan

ISBN978-4-86520-056-0 C0022

歴史・文学

カレル・チャペック著　石川達夫訳

## マサリクとの対話

哲人大統領の生涯と思想

A5判上製　344頁　3800円　978-4-915730-03-0

チェコスロヴァキアを建国させ、両大戦間の時代に奇跡的な繁栄と民主主義を現出させた哲人大統領の生涯と思想を、「ロボット」の造語で知られるチャペックが描いた大ベストセラー。伝記文学の傑作として名高い原著に、詳細な訳注をつけ初訳。各紙誌絶賛。　1993

---

歴史・思想

石川達夫著

## マサリクとチェコの精神

アイデンティティと自律性を求めて

A5判上製　310頁　3800円　978-4-915730-10-8

マサリクの思想が養分を吸い取り、根を下ろす土壌となったチェコの精神史とはいかなるものであり、彼はそれをいかに見て何を汲み取ったのか？　宗教改革から現代までのチェコ精神史をマサリクの思想を縦糸として読み解く。サントリー学芸賞・木村彰一賞同時受賞。　1995

---

歴史・思想

T・G・マサリク著　石川達夫訳

## ロシアとヨーロッパⅠ

ロシアにおける精神潮流の研究

A5判上製　376頁　4800円　978-4-915730-34-4

第1部「ロシアの歴史哲学と宗教哲学の諸問題」では、ロシア精神を理解するために、ロシア国家の起源から第一次革命に至るまでのロシア史を概観する。第2部「ロシアの歴史哲学と宗教哲学の概略」では、チャアダーエフからゲルツェンまでの思想家たちを検討する。　2002

---

歴史・思想

T・G・マサリク著　石川達夫・長與進訳

## ロシアとヨーロッパⅡ

ロシアにおける精神潮流の研究

A5判上製　512頁　6900円　978-4-915730-35-1

第2部「ロシアの歴史哲学と宗教哲学の概略」（続き）では、バクーニンからミハイローフスキーまでの思想家、反動家、新しい思想潮流を検討。第3部第1編「神権政治対民主主義」では、西欧哲学と比較したロシア哲学の特徴を析出し、ロシアの歴史哲学的分析を行う。　2004

---

歴史・思想

T・G・マサリク著　石川達夫・長與進訳

## ロシアとヨーロッパⅢ

ロシアにおける精神潮流の研究

A5判上製　480頁　6400円　978-4-915730-36-8

第3部第2編「神をめぐる闘い。ドストエフスキー」は、本書全体の核となるドストエフスキー論であり、ドストエフスキーの思想を批判的に分析する。第3編「巨人主義かヒューマニズムか。プーシキンからゴーリキーへ」では、ドストエフスキー以外の作家たちを論じる。　2005

---

歴史・文学

アロイス・イラーセク著　浦井康男訳

## 暗黒　上巻

18世紀、イエズス会とチェコ・バロックの世界

A5判上製　408頁　5400円　978-4-86520-019-5

フスによる宗教改革の後いったんは民族文化の大輪の花を咲かせたものの独立を失い、ハプスブルク家の専制とイエズス会による再カトリック化の中で言語と民族文化が衰退していったチェコ史の暗黒時代。史実を基に周到に創作された、本格的な長編歴史小説。　2016

---

歴史・文学

アロイス・イラーセク著　浦井康男訳

## 暗黒　下巻

18世紀、イエズス会とチェコ・バロックの世界

A5判上製　368頁　4600円　978-4-86520-020-1

物語は推理小説並みの面白さや恋愛小説の要素も盛り込みつつ、いよいよ佳境を迎える。隠れフス派への弾圧が最高潮に達した18世紀前半の宗教・文化・社会の渾然一体となった状況が、立場を描き分けられた登場人物たちの交錯により、詳細に描写されていく。　2016

価格は全て本体価格です。